DEUTSCH ALS FREMDSPRACHE

Themen aktuell

▶ **Kursbuch +
Arbeitsbuch**

Lektion 1–5

von

Hartmut Aufderstraße

Heiko Bock

Jutta Müller

Helmut Müller

Hueber Verlag

Piktogramme

 Hörtext oder Hör-Sprech-Text auf CD oder Kassette (z.B. CD 1, Nr. 3)

 Lesen

 Schreiben

 Hinweis auf die Grammatikübersicht im Anhang zum Kursbuch (S. 68)

7. 6. 5.   Die letzten Ziffern
2016 15 14 13 12   bezeichnen Zahl und Jahr des Druckes.
Alle Drucke dieser Auflage können, da unverändert,
nebeneinander benutzt werden.
1. Auflage
© 2004 Hueber Verlag, 85737 Ismaning, Deutschland
Umschlagfoto: © Eric Bach/Superbild, München
Zeichnungen: martin guhl www.cartoonexpress.ch
Druck und Bindung: Firmengruppe APPL, aprinta druck, Wemding
Printed in Germany
ISBN 978–3–19–181691–9

INHALT

„Themen" und „Themen neu" – das ist eine Erfolgsgeschichte, wie sie kein anderes Lehrwerk für Deutsch als Fremdsprache für sich verbuchen kann. Das Geheimnis dieses Erfolgs ist sicher nicht in irgendeiner einzelnen Besonderheit zu suchen, sondern liegt in der gelungenen Kombination von methodischen, sprachlichen, textlichen und gestalterischen Qualitätsmerkmalen, die seit vielen Jahren die Kursleiterinnen und Kursleiter ebenso wie die Lernenden zu überzeugen vermögen.

„Themen" ist inzwischen, wir dürfen es wohl behaupten, zu einem Klassiker geworden. Das würde eigentlich bedeuten, dass man dieses Lehrwerk überhaupt nicht mehr verändern darf. Andererseits sorgt aber gerade seine unverwüstliche Langlebigkeit dafür, dass man die vertrauten Seiten vielleicht ein paar Mal zu oft gesehen hat und sich – bei aller Liebe – sozusagen einen neuen Anstrich wünscht. Zudem hat sich in den letzten Jahren auch die Welt in ein paar Punkten verändert.

Deshalb liegt jetzt das Lehrwerk „Themen aktuell" vor Ihnen – hier in der sechsbändigen Ausgabe, die jeweils 5 Lektionen des Kursbuchs und des Arbeitsbuchs in einem Band zusammenfasst. Die alten Qualitäten in neuem Gewand; und da, wo die gestrige Welt uns schon leicht befremdet hat, jetzt die heutige. Wir hoffen, dass „Themen aktuell" Ihrer Freude am Lernen und Unterrichten noch einmal zusätzlichen Auftrieb geben kann, und wünschen Ihnen viel Erfolg und viel Spaß dabei.

Autoren und Verlag

dick

dünn

traurig

fröhlich

hübsch

hässlich

Hut

Brille

blond

schwarzhaarig

Hemd

Bluse

Kleid

Rock

Hose

Strümpfe

Schuhe

AUSSEHEN

Drei Ehepaare

Uta   Brigitte   Peter   Hans   Eva   Klaus

1. Wie sehen die Personen aus?

Peter ist klein und schlank. Er ist schon ziemlich alt. Ich glaube, er ist etwa … Jahre alt.

Hans ist …

alt	jung	blond	dünn
schlank	klein		groß
schwarzhaarig	dick		langhaarig

2. Wie finden Sie die Personen?

Brigitte sieht hübsch aus, finde ich.

Ich finde, Hans sieht sehr intelligent aus.

Eva …

nett   sympathisch   dumm   hässlich
attraktiv   nervös   ruhig   unsympathisch
gemütlich   lustig   schön   komisch   hübsch
freundlich   traurig   intelligent   langweilig

3. Vergleichen Sie die Personen.

> §8

a) Vergleichen Sie:

Peter und Hans   Uta und Brigitte
Klaus und Peter   Brigitte und Eva
Hans und Klaus   Uta und Hans
Eva und Uta   Eva und Klaus

> Hans ist jünger als Peter.

> Klaus ist größer als Peter.

> Eva ist etwa so groß wie Uta.

> Peter ist viel kleiner als Hans.

b) Wer ist am größten, kleinsten, jüngsten …?

> …

	größer	als
so	groß	wie

Ich glaube, Peter ist am ältesten.
Eva ist am …

4. Wer ist wer?

1/1

a) Die Personen stellen sich vor. Hören Sie die Kassette und ergänzen Sie die fehlenden Informationen.

b) Was glauben Sie: Wer ist wer? Diskutieren Sie Ihre Lösung im Kurs.

62 Jahre	▨ Jahre	42 Jahre	45 Jahre	▨ Jahre	22 Jahre
▨ kg	75 kg	69 kg	▨ kg	56 kg	▨ kg
160 cm	176 cm	▨ cm	165 cm	176 cm	160 cm
Clown	Koch	Pfarrer	Sekretärin	Fotomodell	Verkäuferin
_____	_____	_____	_____	_____	_____

5. Die Personen auf dem Foto sind drei Ehepaare.

Was glauben Sie: Wer ist mit wem verheiratet?

6. Haben Sie ein gutes Gedächtnis?

Sehen Sie die drei Bilder eine Minute lang genau an.
Lesen Sie dann auf der nächsten Seite weiter.

§5

Hier sehen Sie Teile der Gesichter. Was gehört zu Bild A, was zu Bild B und was zu Bild C?

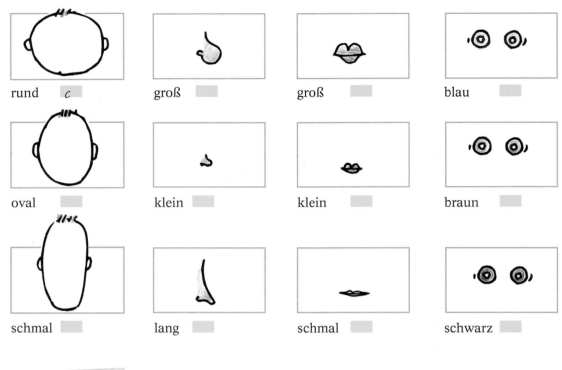

rund *c*   groß ☐   groß ☐   blau ☐

oval ☐   klein ☐   klein ☐   braun ☐

schmal ☐   lang ☐   schmal ☐   schwarz ☐

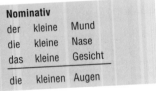

Nominativ		
der	kleine	Mund
die	kleine	Nase
das	kleine	Gesicht
die	kleinen	Augen

> Das runde Gesicht, die große Nase, der kleine Mund und die blauen Augen sind von Bild …

> Ich glaube, die blauen Augen sind …

> Ich glaube, das runde Gesicht ist von Bild …

7. Familienbilder

a) Was hat der Sohn vom Vater, was hat er von der Mutter?

Den langen Hals und den großen Mund hat er von der Mutter.
Die große Nase hat er vom Vater.
Das schmale Gesicht hat er von der Mutter.
Die kurzen Beine und die dünnen Arme hat er vom Vater.
Den dicken …
Die …

b) Und was haben die Kinder hier von Vater und Mutter?

❯
§ 5

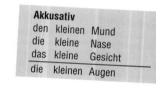

Akkusativ		
den	kleinen	Mund
die	kleine	Nase
das	kleine	Gesicht
die	kleinen	Augen

8. Der neue Freund

1/2

a) Hören Sie zu. Was ist richtig?

Der neue Freund von Helga

☐ war Evas Ehemann.

☐ war Evas Freund.

☐ ist Evas Freund.

b) Was sagen Anne und Eva?

Unterstreichen Sie die richtigen Adjektive.

Anne sagt:
Der neue Freund von Helga ist …
sehr dumm/attraktiv/nett/unsportlich/
ruhig/freundlich.

Eva sagt:
Er ist …
intelligent/groß/dick/klein/nervös/
elegant/sportlich.

Dumme Sprüche? Kluge Sprüche?

1/3

„Eine rothaarige Frau hat viel Temperament."

„Reiche Männer sind meistens langweilig."

„Eine schöne Frau ist meistens dumm."

„Ein kleiner Mann findet schwer eine Frau."

„Dicke Kinder sind gesünder."

„Ein schöner Mann ist selten treu."

„Dicke Leute sind gemütlich."

„Kleine Kinder, kleine Sorgen – große Kinder, große Sorgen."

„Eine intelligente Frau hat Millionen Feinde – die Männer."

„Ein voller Bauch studiert nicht gern."

„Stille Wasser sind tief."

„Ein bescheidener Mann macht selten Karriere."

9. Stimmt das?

Das	finde	ich	nicht.
	glaube		auch.
	meine		

Das ist doch	nicht wahr.
	nicht richtig.
	Unsinn.
	ein Vorurteil.

In meinem Land	sagt man: ...
Bei uns	

10. Was meinen Sie?

Nominativ		
ein	reicher	Mann
eine	reiche	Frau
ein	reiches	Mädchen
–	reiche	Leute

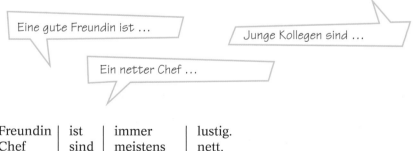

Eine gute Freundin ist ...

Junge Kollegen sind ...

Ein netter Chef ...

> §5

Ein	nett...	Freundin	ist	immer	lustig.
Eine	blond...	Chef	sind	meistens	nett.
	schlank...	Chefin		oft	gefährlich.
	hübsch...	Mensch		manchmal	freundlich.
	jung...	Kollege		selten	intelligent.
	verheiratet...	Kollegin		nie	interessant.
	ledig...	Mutter			komisch.
	neu...	Lehrer			...
	...	Nachbar			
		...			

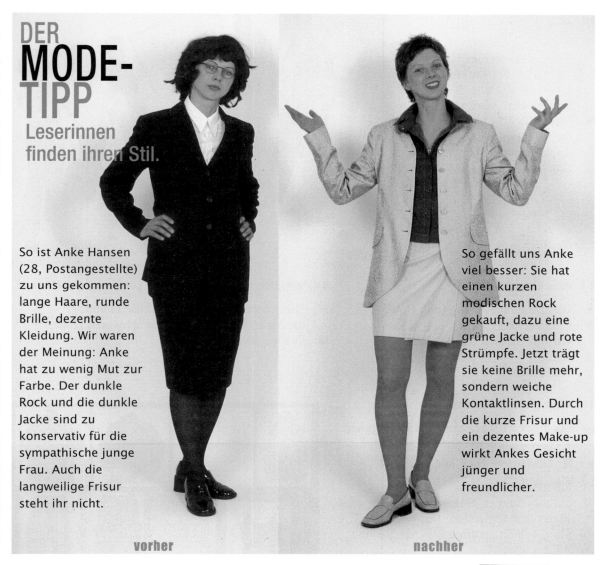

DER MODE-TIPP
Leserinnen finden ihren Stil.

So ist Anke Hansen (28, Postangestellte) zu uns gekommen: lange Haare, runde Brille, dezente Kleidung. Wir waren der Meinung: Anke hat zu wenig Mut zur Farbe. Der dunkle Rock und die dunkle Jacke sind zu konservativ für die sympathische junge Frau. Auch die langweilige Frisur steht ihr nicht.

So gefällt uns Anke viel besser: Sie hat einen kurzen modischen Rock gekauft, dazu eine grüne Jacke und rote Strümpfe. Jetzt trägt sie keine Brille mehr, sondern weiche Kontaktlinsen. Durch die kurze Frisur und ein dezentes Make-up wirkt Ankes Gesicht jünger und freundlicher.

vorher

nachher

11. Wie hat Anke vorher ausgesehen? Wie sieht Anke jetzt aus?

Vorher hatte Anke lange Haare, jetzt hat sie kurze Haare.

Vorher hatte Anke einen langen Rock, jetzt trägt sie ...

Akkusativ		
einen	weißen	Rock
eine	weiße	Bluse
ein	weißes	Kleid
–	weiße	Schuhe

§ 5

die Jacke   die Haare   die Schuhe
die Bluse   die Kontaktlinsen
die Brille   die Kleidung   das Make-up
die Strümpfe   die Frisur   der Rock

weich   rot   rund   kurz
jung   gelb   dezent
weiß   lang   sportlich

12. Wer ist das?

● Er trägt einen schwarzen Anzug, ein weißes Hemd, eine gelbe Krawatte und schwarze Schuhe.
Wer ist das?

■ Das ist Rolf.
Sie trägt einen braunen Rock, schwarze … Wer …

▲ Das ist …

Was für	einen	Anzug?
	eine	Hose?
	ein	Kleid?
Was für		Schuhe?

13. Was für ein …?

● Was für einen Anzug trägt Rolf?
■ Einen schwarzen.
Was für Schuhe trägt Andreas?
▲ Blaue.
Was für …

14. Welche Kleidungsstücke passen zusammen?

● Die schwarze Jacke, das weiße Hemd, die blaue Krawatte und die schwarze Hose.
■ Die weiße Hose, …

15. Was ziehen Sie an?

a) Sie möchten zur Arbeit ins Büro gehen.
   ● Was ziehen Sie an?
   ■ Den roten Rock, die weiße …, …

b) Sie möchten spazieren gehen.
c) Sie möchten zu Hause im Wohnzimmer sitzen und fernsehen.
d) Sie möchten zu einer Hochzeit gehen.

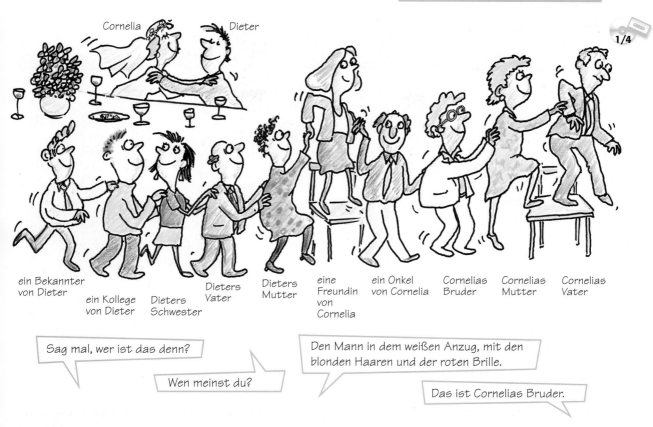

Cornelia Dieter

ein Bekannter
von Dieter
   ein Kollege
   von Dieter   Dieters
      Schwester
         Dieters
         Vater
    Dieters
    Mutter
  eine
  Freundin
  von
  Cornelia
  ein Onkel
  von Cornelia
  Cornelias
  Bruder
  Cornelias
  Mutter
  Cornelias
  Vater

Sag mal, wer ist das denn?

Den Mann in dem weißen Anzug, mit den blonden Haaren und der roten Brille.

Wen meinst du?

Das ist Cornelias Bruder.

16. Hören Sie die drei Dialoge. Über welche Personen sprechen die beiden? Markieren Sie die Personen in der Zeichnung.

17. Spielen Sie jetzt ähnliche Dialoge. Sie können folgende Sätze verwenden.

● Kennst du | den Mann | da? Wer ist das?   ■ Wen | meinst du?
          | die Frau | Welche Frau
  Wer ist das da? Weißt du das?   Welchen Mann
                                    Welche Person

● Den | kleinen | Mann | in der blauen Hose und dem weißen Hemd.
     | … | | in dem schwarzen Rock und der roten Bluse.
  Die | schlanke | Frau | mit den roten Haaren. / mit … Brille. / …
     | … |

■ Ach, | den | meinst du. Das ist | Cornelias Bruder. / eine Tante von Dieter. /
      | die | | der Vater von Cornelia. / …

● Kennst du | ihn?   ■ Ja, | er | ist | sehr nett.
        | sie? | sie | | …

§ 1

Der Psycho-Test
Sind Sie tolerant?

1. Sie gehen im Park spazieren und sehen dieses Liebespaar.
Was denken Sie?   Punkte
a) Diese alten Leute sind doch verrückt!   0
b) Wunderbar. Liebe ist in jedem Alter schön.   2
c) Gut. Aber müssen das alle Leute sehen?   1

2. Bei diesen Leuten macht der Mann die Hausarbeit.
Was meinen Sie dazu?
a) Wo ist das Problem?   2
b) Dieser arme Mann!   0
c) Diese Frau hat wirklich ein schönes Leben.   1

3. Sie sehen dieses Kind in einem Restaurant.
Was denken Sie?
a) Manche Eltern können ihre Kinder nicht richtig
   erziehen.   0
b) Alle Kinder essen so.   1
c) Essen muss jeder Mensch erst lernen.   2

4. Dieser Mann ist der Englischlehrer Ihrer Tochter.
Was denken Sie?
a) Das ist jedenfalls gesünder als Autofahren.   2
b) In jedem Mann steckt ein Kind.   1
c) Dieser Mann ist sicher kein guter Lehrer.   0

5. Sie stehen an der Bushaltestelle. Da sehen Sie diesen Wagen.
Was sagen Sie zu Ihrer Freundin?
a) Dieser Wagen braucht doch sicher viel Benzin.   1
b) Manche Leute haben zu viel Geld.   0
c) Vielleicht ist die Frau privat ganz nett.   2

6. Ihre Nachbarn feiern bis zum Morgen. Es ist sehr laut.
Was tun Sie?
a) Ich rufe die Polizei an.   0
b) Ich lade Freunde ein und feiere auch.   2
c) Ich gehe in ein Hotel.   1

Artikelwörter

Singular		Plural	
der	Mann	die	Männer
dieser		diese	
mancher		manche	
jeder		alle	

Ergebnis

9 bis 12 Punkte
Sie sind sehr tolerant. Sicher
haben Sie viele Freunde, denn Sie
sind ein offener und angenehmer
Typ.

5 bis 8 Punkte
Sie sind ein angenehmer
Mensch, aber Sie sind nicht
wirklich tolerant. Viele Probleme
sind Ihnen egal.

0 bis 4 Punkte
Sicher sind Sie ein ehrlicher, genauer
und pünktlicher Mensch, aber Sie
haben starke Vorurteile. Sie
kritisieren andere Menschen sehr oft.

Ein junger Arbeitsloser in Stuttgart bekommt vom Arbeitsamt kein Geld. Warum? Den Beamten dort gefällt sein Aussehen nicht.

Jeden Morgen geht Heinz Kuhlmann, 23, mit einem Ei ins Badezimmer. Er will das Ei nicht essen, er braucht es für seine Haare. Heinz trägt seine Haare ganz kurz, nur in der Mitte sind sie lang – und rot. Für eine Irokesenfrisur müssen die langen mittleren Haare stehen. Dafür braucht Heinz das Ei. „In Stuttgart habe nur ich diese Frisur", sagt Heinz. Das gefällt ihm. Das Arbeitsamt in Stuttgart hat eine andere Meinung. Heinz bekommt kein Arbeitslosengeld und keine Stellenangebote. Ein Angestellter im Arbeitsamt hat zu ihm gesagt: „Machen Sie sich eine normale Frisur. Dann können Sie wiederkommen." Ein anderer Angestellter meint: „Herr Kuhlmann sabotiert die Stellensuche." Aber Heinz Kuhlmann möchte arbeiten. Sein früherer Arbeitgeber, die Firma Kodak, war sehr zufrieden mit ihm. Nur die Arbeitskollegen haben Heinz das Leben schwer gemacht. Sie haben ihn immer geärgert. Deshalb hat er gekündigt. Bis jetzt hat er keine neue Stelle gefunden. Die meisten Jobs sind nichts für ihn, das weiß er auch: „Verkäufer in einer Buchhandlung, das geht nicht. Dafür bin ich nicht der richtige Typ."

Heinz will arbeiten, aber Punk will er auch bleiben. Gegen das Arbeitsamt führt er jetzt einen Prozess. Sein Rechtsanwalt meint: „Auch ein arbeitsloser Punk muss Geld vom Arbeitsamt bekommen." Heinz Kuhlmann lebt jetzt von ein paar Euro. Die gibt ihm sein Vater.

(Michael Ludwig)

Kein Geld für Irokesen

18. Was ist richtig?

Heinz Kuhlmann …

- [ ] ist ein Punk.
- [ ] ist arbeitslos.
- [ ] ist 19 Jahre alt.
- [ ] arbeitet in einer Buchhandlung.
- [ ] hat eine Irokesenfrisur.
- [ ] hat bei seiner alten Firma gekündigt.
- [ ] bekommt viele Stellenangebote vom Arbeitsamt.
- [ ] bekommt kein Arbeitslosengeld.
- [ ] hat gelbe Haare.
- [ ] führt einen Prozess gegen das Arbeitsamt.

19. Eine Fernsehdiskussion. Hören Sie zu und ordnen Sie.

A
Arbeiten oder nicht, das ist mir egal. Meinetwegen kann er so verrückt aussehen. Das ist mir gleich. Das ist seine Sache. Dann darf er aber kein Geld vom Arbeitsamt verlangen. Ich finde, das geht dann nicht.

B
Das stimmt, aber er hat selbst gekündigt. Das war sein Fehler.

C
Sicher, er hat selbst gekündigt, aber warum ist das ein Fehler? Er möchte ja wieder arbeiten. Er findet nur keine Stelle. Das Arbeitsamt muss also zahlen.

D
Wie können Sie das denn wissen? Kennen Sie ihn denn? Sicher, er sieht ja vielleicht verrückt aus, aber Sie können doch nicht sagen, er will nicht arbeiten. Ich glaube, er lügt nicht. Er möchte wirklich arbeiten.

E
Das finde ich nicht. Der will doch nicht arbeiten. Das sagt er nur. Sonst bekommt er doch vom Arbeitsamt kein Geld. Da bin ich ganz sicher.

F 1
Das Arbeitsamt hat recht. Die Frisur ist doch verrückt! Wer will denn einen Punk haben? Kein Arbeitgeber will das!

G
Da bin ich anderer Meinung. Nicht das Aussehen von Heinz ist wichtig, sondern seine Leistung. Sein alter Arbeitgeber war mit ihm sehr zufrieden. Das Arbeitsamt darf sein Aussehen nicht kritisieren.

20. Welches Argument spricht für, welches gegen Heinz?

	für Heinz	gegen Heinz
Kein Arbeitgeber will einen Punk haben.	▪	▪
Nicht das Aussehen ist wichtig, sondern die Leistung.	▪	▪
Heinz hat selbst gekündigt. Das war sein Fehler.	▪	▪
Heinz möchte bestimmt wieder arbeiten.	▪	▪
Heinz möchte in Wirklichkeit nicht wieder arbeiten.	▪	▪
Sein alter Arbeitgeber war mit ihm sehr zufrieden.	▪	▪
Das Arbeitsamt darf sein Aussehen nicht kritisieren.	▪	▪

21. Diskutieren Sie: Muss Heinz sein Aussehen ändern oder muss das Arbeitsamt zahlen?

● Ich finde, Heinz muss seine Frisur ändern.

▪ *Da bin ich anderer Meinung.*
Das Aussehen ist doch nicht wichtig ...

▪ *Genau!* Kein Arbeitgeber will einen Punk haben.

▲ *Das stimmt, aber ...*

▲ *Da bin ich nicht sicher.*
Sein alter Arbeitgeber ...

Das	stimmt. ist richtig. ist wahr.	Genau! Einverstanden! Richtig!	Das stimmt, Sicher, Sie haben recht,	aber ...

Da bin ich anderer Meinung. Das finde ich nicht. Das | stimmt nicht. ist falsch. ist nicht wahr.	Da bin ich nicht sicher. Das glaube ich nicht. Wie können Sie das wissen? Wissen Sie das genau? Sind Sie sicher?	Da bin ich ganz sicher. Das können Sie mir glauben. Das weiß ich genau.

Die Wahrheit

● Übrigens – du hast eine schiefe Nase, weißt du das?

■ Ich, eine schiefe Nase …? Also, das hat mir noch keiner gesagt!

● Das glaub' ich gern. Wer sagt einem schon die Wahrheit! Aber wir sind ja Freunde, oder …?

■ Ja, ja, gewiss … Übrigens – du hast ziemlich krumme Beine.

● Krumme Beine? – Wer? Ich?

■ Ja, ganz deutlich. Weißt du das denn nicht? Entschuldige, aber als dein Freund darf ich dir doch mal die Wahrheit sagen, oder …?

● Ja, ja, schon … Aber, ehrlich gesagt, die Wahrheit interessiert mich gar nicht so sehr.

■ Offen gesagt, mich interessiert sie auch nicht besonders.

● Na siehst du! Ich schlage vor, wir reden nicht mehr darüber.

■ Einverstanden! Vergessen wir das Thema!

● Deine schiefe Nase ist schließlich nicht deine Schuld.

■ Stimmt! Und du kannst schließlich auch nichts für deine krummen Beine.

● Schiefe Nase oder nicht – du bist und bleibst mein Freund.

■ Danke! Und ich finde auch: Besser ein krummbeiniger Freund als gar keiner.

SCHULE

AUSBILDUNG

BERUF

1 der Kindergarten ◆ 2 die Schule ◆ 3 das Studium / die Universität ◆ 4 die Lehre ◆
5 Sekretärin ◆ 6 Zahnarzt ◆ 7 Polizist ◆ 8 Stewardess

Das will ich werden

Zoodirektor

Das ist ein schöner Beruf. Ich habe viele Tiere. Die Löwen sind gefährlich. Aber ich habe keine Angst. Peter, 9 Jahre

Politiker

Ich bin oft im Fernsehen. Ich habe ein großes Haus in Berlin. Der Bundeskanzler ist mein Freund.

Klaus, 10 Jahre

Sportlerin

Ich bin die Schnellste in der Klasse. Später gewinne ich eine Goldmedaille.

Gabi, 9 Jahre

Fotomodell

Das ist ein interessanter Beruf. Ich habe viele schöne Kleider. Ich verdiene viel Geld.

Sabine, 8 Jahre

Nachtwächter

Dann arbeite ich immer nachts. Ich muss nicht ins Bett gehen. Ich habe einen großen Hund.

Paul, 8 Jahre

Dolmetscherin

Ich verstehe alle Sprachen. Dieser Beruf ist ganz wichtig. Ich kann oft ins Ausland fahren.

Julia, 10 Jahre

1. Wer hat was geschrieben?

❭ § 22

Sabine: Ich will Fotomodell werden, weil ich dann viel Geld verdiene.

_____ : _____ , weil ich dann alle Sprachen verstehe.

_____ : _____ , weil ich dann oft im Fernsehen bin.

_____ : _____ , weil der Beruf ganz wichtig ist.

_____ : _____ , weil ich dann nicht ins Bett gehen muss.

_____ : _____ , weil ich dann viele Tiere habe.

_____ : _____ , weil ich dann schöne Kleider habe.

2. Fragen Sie Ihren Nachbarn.

● Warum will Paul Nachtwächter werden?

■ Weil er dann immer nachts arbeitet und weil …

● Und warum will Gabi …?

■ Weil …

● …

Nebensatz mit „weil"

Das ist ein schöner Beruf.

… weil das ein schöner Beruf ist.

Ich habe dann schöne Kleider.

… weil ich dann schöne Kleider habe.

Heute (Präsens)
Ich will Ingenieur werden.

Früher (Präteritum)
Ich wollte Ingenieur werden.

3. Was wollten Sie als Kind werden? Warum?

❭ § 19

Ballerina　　Kapitän　　Cowboy　　Eisverkäufer　　Schauspielerin　　　　Lehrer
　Popsänger　　Stewardess　　Boxer　　　Rennfahrer　　Arzt　　Astronaut

Ich wollte Lehrerin werden, weil meine Mutter Lehrerin war.

Ich wollte… , weil …

Sind Sie mit Ihrem Beruf zufrieden?

**Anke Voller,
22 Jahre,
Verkäuferin**

Nein, gar nicht. Eigentlich wollte ich Friseurin werden. Ich habe auch die Ausbildung gemacht und danach drei Jahre in einem großen Friseursalon gearbeitet. Aber dann habe ich eine Allergie gegen Haarspray bekommen und musste aufhören. Jetzt habe ich eine Stelle als Verkäuferin gefunden – in einem Supermarkt. Aber das macht mir keinen Spaß; ich kann nicht selbstständig arbeiten und verdiene auch nicht viel. Deshalb suche ich im Augenblick eine neue Stelle.

**Florian Gansel,
28 Jahre,
Landwirt**

Meine Eltern haben einen Bauernhof, deshalb musste ich Landwirt werden. Das war mir schon immer klar, obwohl ich eigentlich nie Lust dazu hatte. Mein jüngerer Bruder hat es besser. Der durfte seinen Beruf selbst bestimmen, der ist jetzt Bürokaufmann. Also, ich möchte auch lieber im Büro arbeiten. Meine Arbeit ist schmutzig und anstrengend, und mein Bruder geht jeden Abend mit sauberen Händen nach Hause.

**Werner Schmidt,
48 Jahre,
Taxifahrer**

Leider nicht. Ich war Maurer, aber dann hat-

te ich einen Unfall und konnte die schwere Arbeit nicht mehr machen. Jetzt arbeite ich als Taxifahrer, weil ich keine andere Arbeit finden konnte. Ich muss oft nachts und am Wochenende arbeiten, und wir haben praktisch kein Familienleben mehr. Deshalb bin ich nicht zufrieden, obwohl ich ganz gut verdiene.

**Paula Mars,
25 Jahre,
Stewardess**

Ja. Ich sollte Zahnärztin werden, weil mein Vater Zahnarzt ist und eine bekannte Praxis hat. Aber ich wollte nicht studieren, ich wollte die Welt sehen.

Ich bin jetzt Stewardess bei der Lufthansa. Das ist ein toller Beruf: Ich bin immer auf Reisen und lerne viele interessante Menschen kennen. Das macht mir sehr viel Spaß, obwohl es an manchen Tagen auch anstrengend ist.

4. Wer ist zufrieden? Wer ist unzufrieden? Warum?

§ 28

Name	Beruf	zufrieden?	warum?
Anke V.	Verkäuferin	nein	kann nicht selbstständig arbeiten, …
Florian G.			
Werner S.			
Paula M.			

Anke Voller ist Verkäuferin. Sie ist unzufrieden, weil sie nicht selbstständig arbeiten kann und nicht viel verdient.

Florian Gansel ist …

5. wollte – sollte – musste – konnte – durfte.

> § 19

Welches Modalverb passt?

a) Anke Voller _____ Friseurin werden, aber sie _____ nicht lange in diesem Beruf arbeiten, weil sie eine Allergie bekommen hat. Deshalb _____ sie den Beruf wechseln.

b) Florian Gansel _____ eigentlich nicht Landwirt werden, aber er _____, weil seine Eltern einen Bauernhof haben. Sein Bruder _____ Bürokaufmann werden.

c) Werner Schmidt _____ eine andere Arbeit suchen, weil er einen Unfall hatte. Eigentlich _____ er nicht Taxifahrer werden, aber er _____ nichts anderes finden.

d) Paula Mars _____ eigentlich nicht Stewardess werden. Ihr Vater _____ noch eine Zahnärztin in der Familie haben. Aber sie _____ lieber reisen.

Präteritum			
Ich	wollte …	Er/Sie	wollte …
	konnte …		konnte …
	durfte …		durfte …
	sollte …		sollte …
	musste …		musste …

6. Zufrieden oder unzufrieden?

wenig Arbeit haben   schwer arbeiten müssen   viele Länder sehen   nicht arbeiten müssen

eine anstrengende Arbeit haben   viel Geld verdienen   in die Schule gehen müssen

keine Freizeit haben

Er	ist	zufrieden,	weil …
Sie		unzufrieden,	obwohl …

schlechte Arbeitszeiten haben

nachts arbeiten müssen   eine schmutzige Arbeit haben   einen schönen Beruf haben

nach Hause gehen wollen   viel Arbeit haben   reich sein   viel Geld haben

7. Wollten Sie lieber einen anderen Beruf? Haben Ihre Freunde ihren Traumberuf?

Das Schulsystem

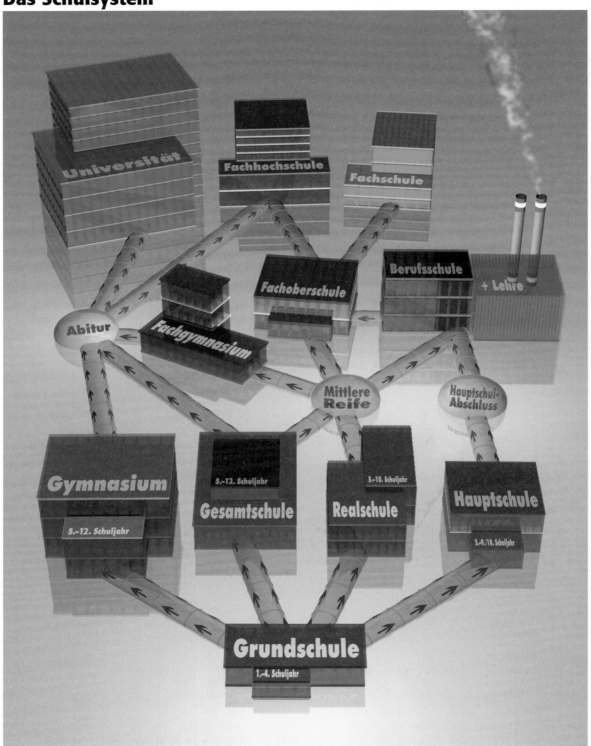

Werner-Heisenberg-Gymnasium Garching

Jahreszeugnis

_____
(Vorname, Familienname)

geboren am _____ in _____

hat im Schuljahr 2001/02 die Klasse 8e des Gymnasiums _____ besucht.

Bemerkungen über Anlagen, Mitarbeit und Verhalten:

Katharina zeichnete sich stets durch lobenswertes Verhalten aus. Ihre Mitarbeit verdient Anerkennung.

Leistungen:

Religionslehre (RK)	gut	Geschichte	befriedigend
Deutsch	befriedigend	Erdkunde	befriedigend
Latein (2. Fremdsprache)	ausreichend	Sozialkunde	
Griechisch (Fremdsprache)		Ethik	
Englisch (1. Fremdsprache)	befriedigend	Wirtschafts- und Rechtslehre	gut
Französisch (Fremdsprache)		Kunsterziehung	gut
Mathematik	ausreichend	Musik	gut
Physik	befriedigend	Sport	
Chemie			
Biologie	befriedigend		

Die Schülerin hat am Wahlunterricht Gebundenes Sachzeichnen mit befriedigendem Erfolg teilgenommen.

Die Erlaubnis zum Vorrücken in die nächsthöhere Jahrgangsstufe hat sie — erhalten.

Garching, 31. Juli 2002

Schulleiter

Dr. Ulrich Mauner, Oberstudiendirektor

Klassenleiter

Staatliche Realschule Ismaning
Staatliche Realschule

Schuljahr 2001/02   Wahlpflichtfächergruppe ---   Klasse 6E

Zwischenzeugnis
für

Leistungen in Pflicht- und Wahlpflichtfächern

Religionslehre (r.-k.)	1	Sozialkunde	
Ethik		Betriebswirtschaftslehre/ Rechnungswesen	---
Deutsch	2	Sozialwesen	---
Englisch	2	Sport	---
Französisch	2	Musik	3
Mathematik	---	Kunsterziehung	3
Informatik	2	Werken	3
Physik	---	Technisches Zeichnen	
Chemie	---	Textiles Gestalten	---
Biologie	---	Haushalt und Ernährung	---
Erziehungskunde	2	Textverarbeitung	---
Geschichte	---	Textverarbeitung mit Kurzschrift	---
Erdkunde	3	Informationstechnologie	---
Wirtschaft und Recht	1		

Die Mitarbeit des Schülers ist stets lobenswert, sein Verhalten sehr anerkennenswert.

Ismaning, 15. Februar 2002

Schulleiterin

Ch. Nicklas, RSRin

Kenntnis genommen:

Ismaning, 15.2.02

Klassenleiterin

Fr. Birkholz

---

8. Was ist richtig? Korrigieren Sie die falschen Aussagen.

Das Schulsystem in der Bundesrepublik Deutschland

Richtig

a) Die Grundschule dauert in Deutschland fünf Jahre.

b) Jedes Kind muss die Grundschule besuchen. Wenn man die Grundschule besucht hat, kann man zwischen Hauptschule, Realschule, Gymnasium und Gesamtschule wählen.

c) In Deutschland gibt es nicht an allen Schulen die gleichen Zeugnisnoten.

d) Wenn man studieren will, muss man das Abitur machen.

e) Das Abitur kann man auf der Realschule machen.

f) Wenn man den Realschulabschluss oder den Hauptschulabschluss gemacht hat, kann man auch noch auf das Gymnasium gehen.

g) Auf der Hauptschule kann man eine Lehre machen.

h) Alle Schüler müssen auf die Hauptschule gehen.

9. Berichten Sie über das Schulsystem in Ihrem Land.

§ 2

Alle Kinder müssen … Jahre die Schule besuchen.
Jedes Kind kann sich die Schule aussuchen.
Die meisten Kinder besuchen die …
Es gibt Zeugnisnoten von … bis …

Jedes Kind kann …
Manche Schüler …
Die …schule dauert … Jahre.
Wenn man studieren will, muss man …

10. Manfred Zehner, Realschüler

Das 9. Schuljahr ist zu Ende. Manfred Zehner hat jetzt verschiedene Möglichkeiten. Er kann

a) noch ein Jahr zur Realschule gehen.
b) auf das Gymnasium oder auf die Gesamtschule gehen.
c) mit der Schule aufhören und eine Lehre machen.
d) mit der Schule aufhören und eine Arbeit suchen.

Manfred überlegt die Vor- und Nachteile.

§ 23

a) Wenn er noch ein Jahr zur Realschule geht, dann | bekommt er den Realschulabschluss.
kann er noch kein Geld verdienen.
…

b) Wenn er auf das Gymnasium geht, dann | kann er …
…

c) Wenn …

d) Wenn …

Nebensatz	Hauptsatz
Wenn er eine Lehre macht,	– verdient er Geld.
	dann verdient er Geld.

+ einen richtigen Beruf lernen
+ den Realschulabschluss bekommen
+ das Abitur machen können
+ schon gleich Geld verdienen können
– später keinen richtigen Beruf haben
– noch mindestens vier Jahre kein Geld verdienen
– noch kein Geld verdienen
– später nicht studieren können

11. Manfred Zehner und seine Eltern

1/7

a) Hören Sie zu.
b) Was stimmt nicht? Korrigieren Sie den Text.

Manfred will mit der Schule aufhören, weil er ein schlechtes Zeugnis hat. Er will eine Internet-Firma aufmachen. Manfreds Vater findet diese Idee gut. Er sagt: „Dafür braucht man kein Studium." Manfreds Mutter sagt zu ihrem Mann: „Sei doch nicht so dumm! In einem Jahr hat Manfred einen richtigen Schulabschluss." Manfred kann auch auf das Gymnasium gehen und dann studieren. Das möchte er aber nicht, weil Akademiker so wenig Geld verdienen.

c) Machen Sie mit Ihrem Nachbarn ein Rollenspiel: Ihre Schwester (Ihr Bruder) will mit der Schule aufhören, aber sie (er) hat noch kein Abschlusszeugnis.

Akademiker heute – ohne Zukunft?

Immer mehr Hochschulabsolventen finden nach dem Studium keine Arbeit. In zehn Jahren, so schätzt das Arbeitsamt, gibt es für 1,1 Millionen neue Hochschulabsolventen nur 450 000 freie Stellen.

Die Studenten wissen das natürlich, und die meisten sehen ihre Zukunft nicht sehr

Conny Ahrens, 21, 4. Semester, studiert Germanistik in Kiel „Was soll ich denn sonst machen?"

optimistisch. Trotzdem studieren sie weiter. „Was soll ich denn sonst machen?", fragt die Kieler Germanistikstudentin Conny Ahrens. Ihr macht das Studium wenig Spaß, weil der Konkurrenzkampf heute schon in der Uni beginnt.

Für andere Studenten wie Konrad Dehler (23) ist das kein Problem: „Auch an der Uni

Konrad Dehler 23, 6. Semester, studiert Wirtschaft an der Universität Göttingen „Ich werde nicht arbeitslos, ich schaffe es bestimmt."

muss man kämpfen. Man muss besser sein als die anderen, dann findet man schon eine Stelle." Zukunftsangst kennt er nicht: „Ich werde nicht arbeitslos, ich schaffe es bestimmt."

Vera Röder (27) hat es noch nicht geschafft. Sie hat an der Universität Köln Psychologie studiert. Obwohl sie ein gutes Examen gemacht hat, ist sie immer noch arbeitslos. „Ich habe schon über 30 Bewerbungen geschrieben, aber immer war die Antwort negativ. Man sucht vor allem Leute mit Berufserfahrung, und die habe ich noch nicht."

Obwohl sie schon 27 Jahre alt ist, wohnt sie immer noch bei ihren Eltern. Eine eigene

Vera Röder, 27, ist Diplom-Psychologin und sucht eine Stelle. „Ich habe schon 30 Bewerbungen geschrieben, aber immer war die Antwort negativ."

Wohnung ist ihr zu teuer. Denn vom Arbeitsamt bekommt sie kein Geld, weil sie noch nie eine Stelle hatte. Das Arbeitsamt kann ihr auch keine Stelle anbieten. Vera Röder weiß nicht, was sie machen soll. Sie arbeitet zurzeit 20 Stunden pro Woche in einem Kindergarten. „Die Arbeit dort ist ganz interessant, aber mein Traumjob ist das nicht. Wenn ich in drei Monaten noch keine Stelle habe, dann gehe ich wahrscheinlich wieder zur Uni und schreibe meine Doktorarbeit." Aber auch für Akademiker mit einem Doktortitel ist die Stellensuche nicht viel einfacher.

12. Was passt zusammen?

Immer mehr Studenten sind nach dem Examen arbeitslos,	studiert sie nicht gern.
Weil es Konkurrenzkämpfe zwischen den Studenten gibt,	aber eine Stelle hat sie noch nicht gefunden.
Obwohl Conny Ahrens keinen Spaß am Studium hat,	weil sie noch nie gearbeitet hat.
Konrad Dehler hat keine Zukunftsangst,	weil sie Geld braucht.
Vera Röder wohnt bei ihren Eltern,	studiert sie trotzdem weiter.
Vera Röder arbeitet im Kindergarten,	findet sie keine Stelle.
Wenn Vera Röder in den nächsten Monaten keine Stelle findet,	weil sie noch keine Berufserfahrung hat.
Vom Arbeitsamt bekommt Vera Röder kein Geld,	möchte sie wieder studieren.
Vera Röder hat schon 30 Bewerbungen geschrieben,	obwohl sie schon 27 Jahre alt ist.
Obwohl Vera Röder ein gutes Examen gemacht hat,	weil es zu viele Akademiker gibt.
Die Antworten auf Vera Röders Bewerbungen waren negativ,	weil er besser ist als die anderen Studenten.

13. Beschreiben Sie die Situation von Vera Röder.

Vera ist …   hat … geschrieben   Sie findet keine Stelle, weil …
wohnt …   bekommt …   Obwohl sie …
hat … studiert   arbeitet …   Das Arbeitsamt …
sucht …   möchte …
hat … gemacht

14. Beschreiben Sie die Situation von Jörn.

Realschulabschluss, 17 Jahre, möchte Automechaniker werden, Eltern wollen das nicht („schmutzige Arbeit"), soll Polizist werden (Beamter, sicherer Arbeitsplatz), Jörn will aber nicht, selbst eine Lehrstelle gesucht, letzten Monat eine gefunden, Beruf macht Spaß, aber wenig Geld …

15. Welche Schule haben Sie besucht? Was haben Sie nach der Schule gemacht?

Prüfung gemacht   die …schule besucht   in … / bei … gearbeitet
Diplom gemacht   eine Lehre gemacht
eine Reise gemacht   … Jahre zur Schule gegangen
studiert
im Ausland gewesen   eine Stelle als … gefunden   geheiratet

Stellenangebote

Alko-Dataline

sucht eine **Sekretärin** für die Rechnungsabteilung

Wir – sind ein Betrieb der Elektronikindustrie
– arbeiten mit Unternehmen im Ausland zusammen
– bieten Ihnen ein gutes Gehalt, Urlaubsgeld, 30 Tage Urlaub, Betriebskantine, ausgezeichnete Karrierechancen
– versprechen Ihnen einen interessanten Arbeitsplatz mit Zukunft, aber nicht immer die 5-Tage-Woche

Sie – sind ca. 25–30 Jahre alt und eine dynamische Persönlichkeit
– sprechen perfekt Englisch
– arbeiten gern im Team
– lösen Probleme selbstständig
– möchten in Ihrem Beruf vorwärtskommen

Rufen Sie unseren Herrn Waltemode unter der Nummer 20 03 56 an oder schicken Sie uns Ihre Bewerbung.

Alko-Dataline
Industriestr. 27, 63073 Offenbach

Unser Betrieb wird immer größer. Unsere internationalen Geschäftskontakte werden immer wichtiger. Deshalb brauchen wir eine zweite

Chefsekretärin

mit guten Sprachkenntnissen in Englisch und Spanisch. Zusammen mit Ihrer Kollegin arbeiten Sie direkt für den Chef des Unternehmens. Sie bereiten Termine vor, sprechen mit Kunden aus dem In- und Ausland, besuchen Messen, schreiben Verträge, mit einem Wort: Auf Sie wartet ein interessanter Arbeitsplatz in angenehmer Arbeitsatmosphäre. Außerdem bieten wir Ihnen: 13. Monatsgehalt, Betriebsrente, Kantine, Tennisplatz, Schwimmbad.

Böske & Co. Automatenbau
Görickestraße 1–3, 64297 Darmstadt

Wir sind ein Möbelunternehmen mit 34 Geschäften in ganz Deutschland. Für unseren Verkaufsdirektor suchen wir dringend eine

Chefsekretärin

mit mehreren Jahren Berufserfahrung.

Wir bieten einen angenehmen und sicheren Arbeitsplatz mit sympathischen Kollegen, gutem Betriebsklima und besten Sozialleistungen. Wenn Sie ca. 30–35 Jahre alt sind, gut mit dem Computer schreiben und selbstständig und allein arbeiten können, bewerben Sie sich bei:

Baumhaus KG
Postfach 77, 63454 Hanau am Main
Telefon (06181) 3 60 22 39

---

16. Was für eine Sekretärin suchen die Firmen? Was bieten die Firmen?

Alko-Dataline	Böske & Co.	Baumhaus KG
Die Firma bietet: – ein gutes Gehalt – …	Die Firma bietet: – einen interessanten Arbeitsplatz – …	Die Firma bietet: – einen angenehmen und sicheren Arbeitsplatz – …
Die Sekretärin soll: – 25–30 Jahre alt sein – …	Die Sekretärin soll: – gute Sprachkenntnisse in Englisch und Spanisch haben – …	Die Sekretärin soll: – mehrere Jahre Berufserfahrung haben – …

§2, 9

Firma Böske & Co.
Personalabteilung
Görickestr. 1-3
64297 Darmstadt

5. 2. 03

Bewerbung als Chefsekretärin
Ihre Anzeige vom 4.2.2003 in der Frankfurter Allgemeinen
Zeitung

Sehr geehrte Damen und Herren,

ich bewerbe mich hiermit um die Stelle als Chefsekretärin in
Ihrer Firma. Seit 1995 arbeite ich als Sekretärin bei der Firma
Euro-Mobil in Offenbach. Ich möchte gerne selbstständiger
arbeiten und suche deshalb eine neue Stelle mit interessante-
ren Aufgaben.
Über eine baldige Antwort würde ich mich sehr freuen.

Mit freundlichen Grüßen

Petra Maurer
Petra Maurer

Lebenslauf	
Name	Maurer, geb. Pott
Vornamen	Petra Maria Barbara
geboren am	16.8.1975
in	Aschaffenburg/Main
01.09.1981–24.06.1985	Grundschule in Bergen-Enkheim
30.08.1985–30.06.1988	Schillergymnasium in Frankfurt/M.
04.09.1988–17.05.1991	Brüder-Grimm-Realschule in Frankfurt/M. Realschulabschluss
01.10.1991–03.06.1993	Dolmetscherinstitut in Mainz (Englisch / Spanisch)
15.09.1993–10.02.1995	Sprachpraktikum in den USA
seit 01.04.1995	Sekretärin bei Fa. Euro-Mobil – Import/Export, Offenbach
14.03.1998	Heirat mit dem Exportkaufmann Jochen Maurer
01.09.2000–30.06.2001	Abendschule (Sekretärinnenkurs) Abschlussprüfung vor der Industrie- und Handelskammer: geprüfte Sekretärin
jetzige Stelle:	Sekretärin bei Fa. Euro-Mobil

Datum

der erste	April	(Welcher Tag?)
am ersten	April	(Wann?)
seit dem ersten	April	(Seit wann?)
vom ersten	April	(Wie lange?)
bis zum ersten	Mai	

17. Beschreiben Sie den Lebenslauf von Petra Maurer.

Vom 1. September 1981 bis zum 24. Juni 1985 hat sie …
Am … hat sie den Realschulabschluss gemacht.
Seit dem …
…

18. Petra Maurer beim Personalchef der Firma Böske & Co.

1/8

Hören Sie das Gespräch. Was ist richtig?

b) Petra kann
☐ nur sehr schlecht Spanisch.
☐ nur Spanisch sprechen, aber nicht schreiben.
☐ Spanisch sprechen und schreiben.

c) Petra hat nur drei Jahre das Gymnasium besucht,
☐ weil sie kein Abitur machen wollte.
☐ weil sie dort schlechte Noten hatte.
☐ weil sie Dolmetscherin werden wollte.

a) Petra war in den USA
☐ bei Freunden.
☐ in einem Sprachinstitut.
☐ zuerst in einem Institut und dann bei Freunden.

d) Petra ist nach Deutschland zurückgekommen,
☐ weil sie kein Geld mehr hatte.
☐ weil sie krank war.
☐ weil sie nicht länger bleiben wollte.

19. Welche Stelle soll ich nehmen?

Petra Maurer spricht mit einer Freundin. Hören Sie zu und ergänzen Sie die Notizen. Welche Vorteile, welche Nachteile findet sie bei den Angeboten?

1/9

	Alko-Dataline Offenbach	Baumhaus KG Hanau	Böske & Co. Darmstadt
+	kann Chefsekretärin werden	...	...
−	...	...	...

gute Busverbindung

erst morgens um 9 Uhr anfangen

35 km zur Arbeit

Kollegen sehr nett

13. Monatsgehalt

Chefsekretärin sehr unsympathisch

muss samstags arbeiten

fast 50 km zur Arbeit

Chef sehr unsympathisch

20. Was finden Sie im Beruf am wichtigsten?

Wunschliste für den Beruf

Welches sind die wichtigsten Gründe für die Berufswahl? Das Institut für Arbeitsmarkt- und Berufsforschung hat darüber eine Umfrage gemacht; dabei haben von je 100 befragten Personen angegeben:

Sicherer Arbeitsplatz	76
Guter Verdienst	58
Soziale Sicherheit	50
Interessante Arbeit	40
Gute Kollegen	38
Leichte Arbeit	32
Kurze Fahrt	28
Karriere	23
Selbstständige Arbeit	22
Prestige	21
Viel Freizeit	19

Viel Geld, viel Freizeit, eine interessante Arbeit, gute Karrierechancen und nette Kollegen möchte natürlich jeder gerne haben. Aber alles zusammen, das gibt es selten. Wenn Sie wählen müssen: Was ist für Sie wichtiger? Ein sicherer Arbeitsplatz oder ein gutes Einkommen? Interessante Arbeit oder viel Freizeit? Nette Kollegen oder eine selbstständige Arbeit? Gute Karrierechancen oder eine kurze Fahrt zum Arbeitsort?

❯
§ 7

Am wichtigsten Sehr/Ziemlich/Nicht so wichtig Wichtig/Unwichtig Wichtiger / Viel wichtiger als	finde ich ...	einen sicheren Arbeitsplatz. eine interessante Arbeit. eine kurze Fahrt zur Arbeit. ein gutes Einkommen. genug/viel Freizeit. / nette Kollegen. / ...

Wenn	ich nicht selbstständig arbeiten kann, die Arbeit ... / die Kollegen ... das Einkommen ... / ...	macht mir die Arbeit keinen Spaß. ...

Was nützt mir ..., wenn ...?

Die Arbeit / Das Einkommen / Die Kollegen / ...	muss/müssen	unbedingt auf jeden Fall	interessant nett/...	sein.
	darf/dürfen auf keinen Fall			

Das ist die Hauptsache. Alles andere ist nicht so wichtig.

Und bin so arbeitslos als wie zuvor

- ● Also, Herr Nienhoff – ähm, – Herr Dr. Nienhoff, Sie wollen bei uns Hausbote werden …
- ▪ Ja, das möchte ich sehr gern.
- ● Wollten Sie immer schon Hausbote werden?
- ▪ Immer vielleicht nicht, aber … Sie wissen ja, ich habe lange studiert …
- ● … Zwanzig Semester!
- ▪ Ja, zwanzig Semester, und …
- ● … und zwar Philosophie!
- ▪ Ja, zwanzig Semester Philosophie. Na ja, und dann hab' ich geheiratet, und dann kamen auch bald zwei Kinderchen, wie das so geht im Leben.
- ● Ja, ja, aber warum denn jetzt Hausbote? Ich meine, Sie haben zehn Jahre studiert, haben sogar promoviert …?
- ▪ Ich weiß, es ist vielleicht ungewöhnlich. Aber ich sehe das heute anders, es war für mich einfach ein notwendiger Umweg.
- ● Ein notwendiger Umweg – zum Hausboten?
- ▪ Ja. Ich konnte lange nachdenken, und dann wusste ich, nach zehn Jahren: Es gibt für mich nur einen Beruf – Hausbote.
- ● Und woher wussten Sie das – nach zehn Jahren?
- ▪ Weil ich das Nachdenken leid war und weil mir eines plötzlich sehr klar wurde: Wichtiger als das Nachdenken ist die Bewegung. Ich muss jetzt endlich mal meine Beine bewegen.
- ● Ich verstehe … Herr Nienhoff – ähm, Herr Dr. Nienhoff. Leider ist die Hausbotenstelle inzwischen besetzt. Doch heute wurde eine andere Stelle frei, in unserer Telefonzentrale …

1

2

3

4

5

6

7

1 die Nachrichten ◆ 2 das Quiz ◆ 3 der Spielfilm ◆ 4 die Kindersendung ◆
5 das Theaterstück ◆ 6 der Krimi ◆ 7 der Straßenkünstler

UNTERHALTUNG

Sa 11. 1. Das Programm

ARD

9.00 **Tagesschau**
9.05 **Schloss Hohenstein**
10.00 **Tagesschau und Wetter**
10.03 **Brisant**
10.25 **Julia – eine ungewöhnliche Frau**
11.15 **Lustige Musikanten**
12.00 **Uhr Tagesschau um zwölf**
12.15 **Mittagsmagazin**
13.45 **Wirtschaftstelegramm**
14.00 **Tagesschau**
14.03 **Pia und Mia**
Kinderfilm
15.00 **Tagesschau**
15.03 **Spaß am Dienstag**
Zeichentrickfilme
15.30 **Das gibt es doch nicht!**
Magazin. Bilder, Menschen und Geschichten

Unter anderem wird in dieser Folge gezeigt, wie der Indianerhäuptling Mato-Topo zu seinem Platz auf diesem Denkmal gekommen ist …
16.00 **Tagesschau**
16.03 **Die Trickfilmschau**
16.45 **ARD-Ratgeber**
17.15 **Tagesschau**
17.25 **Regionalprogramme mit Werbung**
20.00 **Tagesschau**
20.15 **Abenteuer Mount Everest**
Bergsteiger auf dem höchsten Berg der Welt
21.00 **Panorama**
Politisches Magazin
21.45 **Dallas**
Hochzeit auf Southfork
22.30 **Tagesthemen**
23.00 **Tatort** Fakten, Fakten. BRD 2002
0.35 **Tagesschau**

ZDF

9.00 **Heute**
9.03 **Denver**
Alexis kommt zurück. Wiederholung
9.45 **Medizin nach Noten**
10.00 **Tagesschau**
10.03 **Gesundheitsmagazin Praxis**
Wiederholung von Donnerstag
10.45 **100 Meisterwerke**
Paul Gauguin: Tag des Gottes
11.00 **Tagesschau**
11.03 **Columbo**
Wer zuletzt lacht …
12.55 **Presseschau**
13.00 **Tagesschau**
13.05 **Mittagsmagazin**
13.45 **Ein Fall für TKKG**
Ein Revolver in der Suppe. Kinder-Krimiserie
14.30 **Europäische Universitäten**
7. Teil: Heidelberg
15.00 **Zirkusnummern**
Spaß mit Tieren
16.15 **Wicki und die starken Männer** Zeichentrickserie
17.00 **Heute – Aus den Bundesländern**
17.15 **Teleillustrierte**
17.45 **ALF** Eine Katze zum Frühstück
19.00 **Heute**
19.30 **Gangster und Ganoven**
Reportage über das Bahnhofsviertel in Frankfurt
20.15 **Anatomie** Horrorfilm mit Franka Potente. BRD 2000
21.45 **Heute-Journal**
22.10 **Deutschland-Magazin**
Berlin – die schwierige Hauptstadt
22.55 **Miranda**
Talkshow mit Peter Lindner
23.55 **ZDF Sport extra**
Fußball DFB-Pokal
0.45 **Heute – letzte Nachrichten**

RTL

6.00 **Hallo Europa – Guten Morgen Deutschland**
Nachrichtenmagazin
9.20 **Liebe in Wien**
Filmkomödie von 1953
11.00 **Unterhaltung und Serien**
Riskant! Spielshow
11.30 **Showladen**
Einkaufsmagazin
12.00 **Der Preis ist heiß**
Gewinnshow
12.35 **Polizeibericht**
US-Krimiserie
13.00 **RTL aktuell**
13.10 **Der Hammer**
US-Krimiserie
13.35 **California Clan**
US-Serie
14.25 **Die Springfield-Story**
US-Serie
15.10 **Die wilde Rose**
Mexikanische Kurzfilme
15.52 **RTL aktuell**
Nachrichten / Wetter
15.55 **Pop-Time**
Aktuelles aus der Rock- und Pop-Szene
16.45 **Riskant!** Spielshow
17.10 **Der Preis ist heiß**
Gewinnshow
17.45 **Sterntaler** Filmquiz
17.55 **RTL aktuell**
18.00 **Der Sechs-Millionen-Dollar-Mann**
US-Actionserie
18.45 **RTL aktuell**
Nachrichten / Sport / Wetter
19.10 **Knight Rider**
US-Actionserie
20.15 **Kevin – Allein zu Haus**
Komödie. USA 1990
21.50 **Explosiv**
Magazin mit Olaf Kracht
22.45 **Familiengericht**
Gerichtsserie
23.40 **RTL aktuell**
23.50 **Es geschah am hellichten Tag**
Schweizer Kriminalfilm
1.50 **Aerobics**

3Sat

14.30 **Johann Sebastian Bach**
Es singen und spielen der Bachchor und das Bachorchester Mainz
15.20 **Joseph Haydn**
Konzert mit Chor und Orchester der Academy of St. Martin-in-the-Fields
17.15 **Programmvorschau**
17.20 **Mini-ZiB** Für Kinder
17.30 **Siebenstein**
Kindersendung
17.55 **Hallo Rolf!**
Mit Tierarzt
Rolf Spangenberg
18.00 **Bilder aus Österreich**
Leben, Landschaft und Kultur
19.00 **Heute / 3SAT-Studio**
19.30 **SOKO 5113**
Krimiserie
20.20 **Ausland**
Reportagen
20.50 **Geheimagenten in der Schweiz**
Dokumentarfilm
21.45 **Kulturjournal** Tipps
21.51 **Sport-Zeit**
Leichtathletik-Meeting in Karlsruhe

22.00 **Zeit im Bild**
Nachrichten
22.25 **Club 2**
Talkshow aus Österreich
0.15 **Wochenschau**
0.45 **Club 2**
Talkshow aus Österreich
2.40 **Joseph Haydn**
Konzert mit Chor und Orchester der Academy of St. Martin-in-the-Fields
Wiederholung vom Vortag

1. Welche Sendungen gehören zu den Bildern?

Bild	A	B	C	D	E	F
Sendung						
Uhrzeit						
Programm						

2. Ordnen Sie die Sendungen aus den Fernsehprogrammen.

Nachrichten/ Politik	Unterhaltung	Kultur/ Bildung	Sport	Kinder- sendung	Kriminalfilm/ Spielfilm

3. Welche Serien gibt es auch in Ihrem Land?

4. Stellen Sie Ihr Wunsch-Programm für einen Tag zusammen (Gruppenarbeit).

Vergleichen Sie das Ergebnis mit den anderen Gruppen.

5. Finden Sie zu jedem Textanfang die passende Fortsetzung.

A   B   C   D   E

A

ALF
Eine Katze zum Frühstück
Amerikanische Familienserie
Die Tanners haben ihre Katze verloren. Ein Auto hat sie überfahren. Alle sind sehr unglücklich. Nur Alf nicht, er möchte die tote Katze am liebsten essen.

4

Aber damit ist die Familie natürlich nicht einverstanden. Ein paar Tage später sind sieben Katzenbabys im Haus – „jemand" hat sie per Telefon bestellt. Bekommt er wenigstens eins zum Frühstück?

C

Es geschah am hellichten Tag.
Kriminalfilm-Klassiker nach Friedrich Dürrenmatt. Schweiz 1958.
Ein Landstreicher findet im Wald die Leiche eines kleinen Mädchens. Es ist die neunjährige Gritli Moser. Sie ist schon das dritte Opfer in einer Serie von Kindesmorden.

B

Anatomie
Horrorfilm mit Franka Potente
BRD 2000
Die hübsche Paula studiert in Heidelberg Medizin. Sie ist sehr ehrgeizig und hat eigentlich auch keine Angst vor den Leichen in der Anatomie. Aber auf einmal liegt da ein toter junger Mann auf dem Tisch – und der war am Tag vorher noch ganz gesund.

3

Eigentlich findet der clevere Junge die Situation gar nicht so schlecht, weil er jetzt jede Freiheit hat. Aber da sind noch die zwei Diebe Harry und Marv. Doch Kevin macht ein lustiges Spiel aus der Gefahr.

5

Jetzt wird die junge Medizinstudentin neugierig. Gibt es an der Universität einen Mörder oder sogar eine ganze Gruppe? Paula kommt einer Mordserie auf die Spur. Bei ihren Untersuchungen gerät sie bald selbst in Lebensgefahr.

D

Kevin – Allein zu Haus
Komödie. USA 1990
Kevin ist erst acht Jahre alt, aber er ist in den Weihnachtsferien der einzige Bewohner in dem großen Haus seiner Familie. Seine Eltern haben ihn vergessen und merken das Unglück erst, als sie im Flugzeug auf dem Weg nach Paris sind.

1

Kommissar Matthäi will den Mörder endlich fangen. Er hat einen riskanten Plan: Die kleine Annemarie – auch neun Jahre alt – soll den Mörder in eine Falle locken.

2

Die Polizei findet die versteckte Tatwaffe im Badezimmer von Dr. Dreiden. Aber Kommissar Thiel glaubt nicht an eine Eifersuchtstragödie; er will den wirklichen Mörder fangen. Und dann entdeckt er noch eine Leiche; es ist die ermordete Freundin des Toten.

E

Tatort
Fakten, Fakten
BRD 2002
Vor der Wohnung von Dr. Dreiden passiert ein Mord. Er kennt den Toten, weil er der Partner seiner ehemaligen Freundin ist. Aber wer hat den Mann mit einer Pistole erschossen? Die Fakten sind scheinbar klar:

LESERBRIEFE

Miranda, ZDF, 1. November, 22.55 Uhr. Peter Lindner diskutiert mit seinen Gästen über das Thema: „Keine Zukunft für das Auto?"

Wenn ich abends nach Hause komme, freue ich mich auf das Fernsehprogramm. Dann möchte ich gute Unterhaltung sehen und keine billigen Talkshows.
▪ Kurt Förster, Iserlohn

Herzlichen Glückwunsch! Endlich eine interessante Talkshow. Besonders freue ich mich über die späte Sendezeit, weil ich abends immer lange arbeiten muss.
▪ Clemens Buchner, Hainburg

Der Moderator ist schlecht, die Sendung ist langweilig, die Themen sind uninteressant. Ich ärgere mich über jede Sendung.
▪ Beate Kanter, Stralsund

Ich interessiere mich sehr für Talkshows, aber nicht nachts um 11.00 Uhr. Ist „Miranda" eine Sendung für Arbeitslose und Studenten?
▪ Hubert Hessler, Bad Salza

In dieser Sendung fehlt der Pfeffer. Über den langweiligen Moderator kann ich mich wirklich aufregen.
▪ Rainer Kock, Nürnberg

Miranda gefällt uns sehr gut. Wir freuen uns auf die nächste Sendung.
▪ Uwe und Ute Kern, Oberhof

Die meisten Talkshows sind langweilig, aber Miranda finde ich gut. Besonders interessieren mich die politischen Themen.
▪ Karin Langer, Aachen

---

6. Wofür interessiert sich …? Fragen und antworten Sie.

●
Wofür	interessiert	sich	Kurt Förster?
Worüber	ärgert		…
Worauf	freut/freuen		

regt sich Rainer Kock auf?

Reflexive Verben

ich	interessiere	mich	für
du	interessierst	dich	
er	interessiert	sich	
sie			
wir	interessieren	uns	
ihr	interessiert	euch	
sie	interessieren	sich	

❯ § 10, 12
§ 15, 34

▪
Er	interessiert	sich	für	die späte Sendezeit.
…	ärgert		über	die politischen Themen.
	freut/freuen		auf	…

Er regt sich | über | den langweiligen Moderator auf.

---

7. Üben Sie.

● Interessierst du dich | für Krimis?
Interessiert ihr euch | …
Interessieren Sie sich |

▪ Nein, dafür | interessiere ich mich | nicht.
| … wir … |

● Wofür | interessierst du dich | denn?
| … ihr … |
| … Sie … |

▪ Vor allem für | Sportsendungen
| …

Wofür interessieren sich die Deutschen im Fernsehen?
Hitliste vom letzten Jahr. Zuschauer-Zahlen: Angaben in Millionen

Sendung	Kategorie	Zuschauer
Wetten, dass…?	Show	16,14
Wer wird Millionär?	Quiz	13,98
Fußball-Bundesliga	Sport	13,64
Napoleon	Spielfilm	8,91
Tagesschau	Nachrichten	7,84
Der Alte	Krimi	5,61
Lindenstraße	Familienserie	5,27
ZDF-Expedition	Wissenschaft, Technik	5,19
Rossini	Komödie	5,17
Berlin direkt	Politik, Wirtschaft	4,68
Lustige Musikanten	Musiksendung	4,48
Hier und heute	Regionalsendung	3,47
Mein Vater	Problemfilm	2,89
Käpt'n Blaubär	Jugend-, Kindersendung	2,68
Beckmann	Talkshow	2,21
Ratgeber Garten	Ratgebersendung	1,59
aspekte	Kunst, Literatur	1,07
Das Wort zum Sonntag	Religion	0,98

Radio
20.00	Nachrichten, Wetter
20.05	Beliebte Lieder
21.00	Nachrichten, Wetter
21.05	**Mein Problem** Psychologin Dr. Semmler gibt Rat in Lebensfragen.

1/11-13

8. Was ist Ihr Problem?

a) Drei Personen rufen Frau Dr. Semmler an. Sie haben ein persönliches Problem und bekommen Ratschläge. Lesen Sie zuerst einige Sätze aus den Gesprächen.

Anrufer

☐ Ich würde gern mit meinem Freund in Frankreich Urlaub machen.
☐ Er glaubt, ich würde es kaputt fahren.
☐ Meine Eltern sind unglücklich, weil ich nicht mit ihnen nach Österreich fahren will.
☐ Die Katzen schlafen sogar nachts in ihrem Bett.
☐ Ich würde gerne mit dem Auto einkaufen fahren.
☐ Ich liebe meine Freundin und würde sie gerne heiraten.
☐ Ich habe meine Eltern sehr gern, aber sie lassen mir keine Freiheit.
☐ Mein Mann gibt mir das Auto nicht, obwohl es meistens in der Garage steht.

Frau Dr. Semmler

☐ Ich würde einmal in Ruhe mit ihm sprechen.
☐ Ich würde einen Brief schreiben und ihn auf den Küchentisch legen.
☐ Sicher finden Sie bald ein nettes Mädchen ohne Katzen.
☐ Machen Sie Ihren Mann zu Ihrem Fahrlehrer.
☐ Ihre Eltern können Ihnen nichts verbieten, weil Sie erwachsen sind.
☐ Sie müssen sich Ihre Freiheit nehmen.
☐ Ich glaube, Sie können mit Ihrer Freundin nicht glücklich werden.
☐ Bitten Sie ihn um Hilfe.

Konjunktiv mit „würde"

(wirklich)
    Was tun Sie?
    Ich leihe mir ein Auto.
(nicht wirklich, nur gedacht)
    Was <u>würden</u> Sie tun?
    Ich <u>würde</u> mir ein Auto <u>leihen</u>.

b) Hören Sie die drei Gespräche mit Frau Dr. Semmler. Welche Sätze passen zu Gespräch 1 (Hilde Baumgart), welche zu Gespräch 2 (Karin Gärtner) und welche zu Gespräch 3 (Udo Seyfert)? Schreiben Sie die Nummer des Gesprächs in die Kästen vor den Sätzen.

9. Was würden Sie den Personen raten?

Suchen Sie für jede Person drei Ratschläge. Welche Ratschläge würden Sie außerdem geben?

❯
§ 20

mir selbst ein Auto kaufen – einen Hund kaufen – den Freund und seine Eltern nach Hause einladen – mir ein Auto leihen – einen Kompromiss suchen – mit meinem Mann über das Problem sprechen – die Freundin zum Psychiater schicken – meinen Mann nicht um Erlaubnis fragen – eine eigene Wohnung suchen – zusammen mit den Eltern nach Frankreich fahren

10. Lesen Sie zuerst die Liedtexte und hören Sie dann die CD/Kassette.

1/14-19

Ich weiß nicht, was soll es bedeuten,
Dass ich so traurig bin.
Ein Märchen aus alten Zeiten,
Das kommt mir nicht aus dem Sinn.
Die Luft ist kühl und es dunkelt,
Und ruhig fließt der Rhein,
Der Gipfel des Berges funkelt
Im Abendsonnenschein.

Wenn die Elisabeth
nicht so schöne Beine hätt',
hätt' sie viel mehr Freud
an dem neuen langen Kleid.

Heut' kommt der Hans zu mir, freut sich die Lies.
Ob er aber über Oberammergau oder aber über Unterammergau
oder aber überhaupt nicht kommt, ist nicht gewiss.

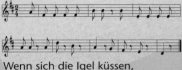

Wenn sich die Igel küssen,
dann müssen, müssen, müssen
sie ganz, ganz fein
behutsam sein.

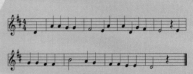

Wer hat die schönsten Schäfchen?
Die hat der goldne Mond,
der hinter unsern Bäumen
am Himmel droben wohnt.

Mein Hut, der hat drei Ecken,
drei Ecken hat mein Hut.
Und hätt' er nicht drei Ecken,
dann wär' es nicht mein Hut.

	Indikativ	Konjunktiv
ich	bin	wäre
er/sie/es	ist	wäre
ich	habe	hätte
er/sie/es	hat	hätte

hätt' = hätte, wär' = wäre

§ 20

11. Welches Lied gefällt Ihnen am besten? Welches nicht so gut?

12. Schreiben Sie einen neuen Text zum Lied „Mein Hut, der hat drei Ecken".

Mein Schrank, der hat vier Türen,
vier Türen hat mein Schrank,
und hätt' er nicht …
dann wär' es …

oder: Mein Brief, der hat sechs Seiten,
sechs Seiten …
und hätt' er …

Fuß – Zehen	Haus – Zimmer
Kind – Zähne	…

13. Wennachwenn dannjadann

Wenn, ach wenn … Wenn, ach wenn …
Wenn du mit mir gehen würdest,
wenn du mich verstehen würdest…
Dann, ja dann … Dann, ja dann …
Ja, dann würde ich immer bei dir sein,
dann wärest du nie mehr allein.
Ja, wenn …

Machen Sie neue Texte für das Lied. Benutzen Sie auch die alphabetische Wortliste.

Wenn	ich	laufen	würde	Ja, dann	würde	ich	…	bleiben
	du	kaufen	würdest		hätte	…		schreiben
	…	sagen			wäre			verlieben
		fragen						üben
		studieren						Zeit
		verlieren						weit
								geblieben
								geschrieben

> Wenn – dann …
> Wenn du mit mir gehen würdest,
> dann wärest du nicht mehr allein.

14. Vor der Party:
„Andere Musik, bitte!"

a) Hören Sie den Dialog.
b) Was passt?

Jörg (J)   Karsten (K)   Britta (B)

☐ will gern tanzen.
☐ will sich lieber unterhalten.
☐ meint, Techno muss laut sein.
☐ möchte nicht tanzen.
☐ findet Jazz unmodern.
☐ hört fast nur Jazz und Blues.
☐ findet den Techno-Rhythmus toll.
☐ findet Techno doof.
☐ will Phil Collins hören.

c) Welche Musik mögen Sie am liebsten? Diskutieren Sie mit Ihrem Nachbarn.

| Pop | Klassik | Techno | Jazz | Chansons | Rock | Schlager | Blues | Volksmusik | Disco |

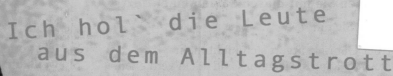

Ich hol` die Leute aus dem Alltagstrott

Es gibt immer mehr Straßenkünstler: Musikanten, Maler und Schauspieler. Sie ziehen von Stadt zu Stadt, machen Musik, spielen Theater und malen auf den Asphalt. Die meisten sind Männer, aber es gibt auch einige Frauen. Eine von ihnen ist die 20-jährige Straßenpantomimin Gabriela Riedel.

Das Wetter ist feucht und kalt. Auf dem Rathausmarkt in Hamburg interessieren sich nur wenige Leute für Gabriela. Sie wartet nicht auf Zuschauer, sondern packt sofort ihre Sachen aus und beginnt ihre Vorstellung: Sie zieht mit ihren Fingern einen imaginären Brief aus einem Umschlag. Den Umschlag tut sie in einen Papierkorb. Der ist wirklich da. Sie liest den Brief, vielleicht eine Minute, dann fällt er auf den Boden, und Gabriela fängt an zu weinen. Den Leuten gefällt das Pantomimenspiel. Nur ein älterer Herr mit Bart regt sich auf. „Das ist doch Unsinn! So etwas müsste man verbieten." Früher hat Gabriela sich über solche Leute geärgert, heute kann sie darüber lachen. Sie meint: „Die meisten Leute freuen sich über mein Spiel und sind zufrieden." Nach der Vorstellung sammelt sie mit ihrem Hut Geld: 4 Euro und 36 Cent hat sie verdient, nicht schlecht. „Wenn ich regelmäßig spiele und das Wetter gut ist, geht es mir ganz gut." Ihre Kollegen machen Asphaltkunst gewöhnlich nur in ihrer Freizeit. Für Gabriela ist Straßenpantomimin ein richtiger Beruf. Gabrielas Asphaltkarriere hat mit Helmut angefangen. Sie war 19, er 25 und Straßenmusikant. Ihr hat besonders das freie Leben von Helmut gefallen, und sie ist mit ihm von Stadt zu Stadt gezogen. Zuerst hat Gabriela für Helmut nur Geld gesammelt. Dann hat sie auch auf der Straße getanzt. Nach einem Krach mit Helmut hat sie dann in einem Schnellkurs Pantomimin gelernt und ist vor sechs Monaten Straßenkünstlerin geworden. Die günstigsten Plätze sind Fußgängerzonen, Ladenpassagen und Einkaufszentren. „Hier denken die Leute nur an den Einkauf, aber bestimmt nicht an mich. Ich hol' sie ein bisschen aus dem Alltagstrott", erzählt sie. Das kann Gabriela wirklich: Viele bleiben stehen, ruhen sich aus, vergessen den Alltag. Leider ist Straßentheater auf einigen Plätzen schon verboten, denn die Geschäftsleute beschweren sich über die Straßenkünstler. Oft verbieten die Städte dann die Straßenkunst.

„Auch wenn die meisten Leute uns mögen, denken viele doch an Vagabunden und Nichtstuer. Sie interessieren sich für mein Spiel und wollen manchmal auch mit mir darüber sprechen, aber selten möchte jemand mich kennenlernen oder mehr über mich wissen."

Gabrielas Leben ist sehr unruhig. Das weiß sie auch: „Manchmal habe ich richtig Angst, den Boden unter den Füßen zu verlieren", erzählt sie uns. Trotzdem findet sie diesen Beruf fantastisch; sie möchte keinen anderen.

15. Fragen zum Text.

a) Was machen Straßenkünstler?

b) Kann ein Straßenkünstler viel Geld verdienen?

c) Was glauben Sie: Warum liebt Gabriela ihren Beruf?

d) Wie hat Gabriela ihren Beruf angefangen?

e) Es gibt nur wenige Straßenkünstlerinnen. Warum? Was glauben Sie?

16. Machen Sie mit diesen Sätzen einen Text.

Beginnen Sie mit 1 .

☐ Aber Gabriela ärgert sich nicht mehr.
☐ Deshalb kann sie jetzt ihr Geld allein verdienen.
☐ Gabriela hat dann einen Pantomimenkurs gemacht.
1 Gabriela ist Straßenpantomimin.
☐ Das macht sie aber nicht – wie andere Straßenkünstler – in ihrer Freizeit.

☐ Sie lebt vom Straßentheater.
☐ Sie weiß, die meisten Leute freuen sich über ihr Spiel.
☐ Manche Leute regen sich über Straßenkünstler auf.
☐ Zuerst hat sie mit einem Freund gearbeitet.
☐ Aber dann hatten sie Streit.

Die Käsetheke

Inh. Gerd Kornfeld
54290 Trier

Trier, den 16. 8. 03

An das
Rathaus der Stadt Trier
Amt für öffentliche Ordnung
Am Augustinerhof
54290 Trier

Sehr geehrte Damen und Herren,

vor meinem Käse-Spezialitäten-Geschäft in der Fußgängerzone machen fast jeden Tag junge Leute Musik. Ich habe nichts gegen Musik, aber manchmal kann ich meine Kunden kaum verstehen, weil die Musik so laut ist. Jetzt im Sommer ist es besonders schlimm. Meine Frau und ich müssen uns von morgens bis abends die gleichen Lieder anhören.

Früher habe ich oft die Eingangstür meines Geschäfts offen gelassen, aber das ist jetzt gar nicht mehr möglich. Man versteht oft sein eigenes Wort nicht mehr. Außerdem stellen sich die Musiker genau vor den Eingang meines Ladens. Auch unsere Kunden beschweren sich darüber. Ich habe nichts gegen die jungen Leute – sie wollen sich mit der Musik ein bisschen Geld verdienen; das verstehe ich. Aber muss es ausgerechnet vor meinem Laden sein? Was würden Sie machen, wenn Sie hundertmal das gleiche Lied hören müssten? Haben wir Geschäftsleute denn keine Rechte? Seit einigen Monaten kommen sogar Musikgruppen mit elektronischen Verstärkern und Lautsprechern. Man kann es nicht mehr aushalten! Ich habe schon oft mit den „Straßenkünstlern" vor meiner Ladentür geredet, aber es nützt nichts. Erst heute hat einer zu mir gesagt: „Was wollen Sie denn? Haben Sie die Straße gekauft?"

Kann die Stadt nicht endlich etwas gegen diesen Musikterror tun? Ich habe über dieses Problem auch schon mit vielen anderen Geschäftsleuten in der Fußgängerzone gesprochen. Sie sind alle meiner Meinung: Die Stadt muss etwas tun!

Ich bitte Sie deshalb dringend:
Verbieten Sie die Straßenmusik in der Fußgängerzone!

Mit freundlichen Grüßen

Kornfeld
G. Kornfeld

17. Immer Ärger mit den Straßenmusikanten?

Eine Reporterin fragt Passanten in der Fußgängerzone von Trier.

Also, ich ärgere mich immer über die Straßenmusikanten. Warum tut man nichts gegen diese laute Musik? Ich finde, man sollte das ganz verbieten. Die Straße ist doch kein Konzertsaal.

Mich stören die Straßenmusikanten eigentlich nur am Wochenende. Freitags und samstags ist es sowieso immer viel zu voll in der Fußgängerzone.

Genau. Wenn ich ein Geschäft hätte, würde ich mich auch über die Musiker beschweren. Oft spielen sie direkt vor den Ein- und Ausgängen und stören den Geschäftsverkehr. Die könnten doch auch woanders spielen.

Ich bin eigentlich für Straßenmusik. Es wäre traurig, wenn die Leute nur noch zum Arbeiten oder zum Einkaufen in die Stadt kommen würden. Aber ich kann die Geschäftsleute auch verstehen.

Straßenmusik? Darüber rege ich mich nicht auf. Die Musik in den Kaufhäusern ist doch genauso laut. Die müsste man dann auch verbieten. Meinen Sie nicht?

Was heißt hier überhaupt Straßenmusikanten? Die meisten können gar nicht richtig Musik machen. Wenn die Qualität besser wäre, hätte ich nichts gegen Straßenmusik.

18. Wie finden Sie Straßenmusik? Diskutieren Sie.

Wenn	es keine Straßenmusik geben man die Straßenmusik verbieten Ohne Straßenmusik/Straßenmusikanten	würde, dann	wäre / hätte / würde …

Wenn	die Musik die Musikanten	besser leiser	wäre, wären,	wäre/hätte/würde …

Wenn ich	ein Geschäft hätte, Straßenmusikant wäre, Als Geschäftsmann/Straßenmusikant	dann	wäre hätte würde	ich …	Man	sollte müsste könnte	…

Der Nichtmacher

- ● Was würden Sie eigentlich machen, wenn Sie …?
- ■ Also wenn ich …, dann würde ich …
- ● Interessant! Sie würden tatsächlich …?
- ■ Da bin ich sicher. Wenn ich …, dann würde ich sofort …!
- ● Also, da wäre ich nicht so sicher.
- ■ Ach nein? Was würden Sie denn machen, wenn Sie …?
- ● Ehrlich gesagt – ich weiß es nicht.
- ■ Wirklich nicht?
- ● Wahrscheinlich würde ich gar nichts machen. Wissen Sie – ich weiß nämlich immer ziemlich genau, was ich *nicht* machen würde.
- ■ Also, wenn *ich* genau wissen würde, was ich *nicht* machen würde, dann hätte ich bestimmt ziemlich große Angst.
- ● Angst? Wovor denn?
- ■ Vor der Zukunft.
- ● Wirklich? Woher wissen Sie das?

1

3

4

5

6

7

8

1 die Panne   2 der Reifen   3 der Autounfall
4 der Kofferraum   5 die Werkstatt   6 der Motor
7 das Benzin (Normal, Super, Diesel)   8 der Fahrlehrer

INDUSTRIE
ARBEIT
WIRTSCHAFT

Kleinwagen sind immer beliebter. Wir haben vier Modelle getestet:
den neuen VW Polo und drei seiner stärksten Konkurrenten.

Die Minis

Typ	VW Polo	Citroën C3	Mercedes A-Klasse	Mini Cooper
Preis (inkl. Mwst.) €	14.300	15.290	18.090	14.500
Motorleistung (kw/PS)	63/86	54/74	54/74	66/90
Höchstgeschw. (km/h)	155	162	165	181
Verbrauch (l/100 km)*	6,0 N	6,3 S	5,9 S	7,7 S
Gewicht (kg)	980	1080	1155	1125
Länge (m)	3,89	3,85	3,61	3,65
Kofferraum (Liter)	1030	1310	390	670
Versicherung (€/Jahr)**	390,20	423,10	451,30	422,50
Steuer (€/Jahr)***	87,70	72,30	77,50	81,20
Kosten/Kilometer (€)****	0,31	0,27	0,38	0,34

* S=Superbenzin, N=Normalbenzin   ** im Durchschnitt   *** schadstoffarm Gruppe C
**** durchschnittliche Kosten für Versicherung, Steuer, Benzin, Reparaturen, Wertverlust bei 15.000 km pro Jahr

1/24-25

1.   Hören Sie die Dialoge A und B. Über welche Autos sprechen die Leute?

Dialog A: _____   Dialog B: _____

2.   Welches Auto hat ...? Welches ist am ...?

Superlativ	
ist	am höchsten
hat	den höchsten Verbrauch
	die höchste Geschwindigkeit
	das höchste Gewicht
	die höchsten Kosten

❯
§ 6, 7, 8

Der VW Polo ist am längsten.
Der Citroën C3 hat die niedrigsten Kosten pro Kilometer.
Der Mini Cooper hat den höchsten Benzinverbrauch.
Der Mini Cooper hat die höchste Geschwindigkeit.
Der Mercedes A-Klasse hat ... / ist ...
Der ...

preiswert	klein	teuer	leicht	hoch	stark	wenig
billig	niedrig	schwach	viel	groß	schnell	langsam

3.   Vergleichen Sie die Vor- und Nachteile der Autos.

Komparativ			
ist		schwächer	
hat	einen	schwächeren Motor	als
	eine	höhere Leistung	als
	ein	niedrigeres Gewicht	als
	–	niedrigere Kosten	als

Der Polo ist langsamer als der Mini Cooper.
Der C3 hat einen größeren Kofferraum als ...
Der Mercedes hat einen höheren ... als ...

Der Citroën hat genauso viele PS wie der ...
Der ... genauso ... wie ...

4. Hören Sie den Dialog. Was sagt Simone über ihren Wagen?

- Er verbraucht mehr Benzin, als im Prospekt steht.
- Er hat mehr Platz, als man denkt.
- Er ist nicht so bequem, wie man denkt.
- Er ist schneller, als der Verkäufer gesagt hat.
- Er ist genauso schnell, wie im Prospekt steht.
- Er verbraucht weniger Benzin, als der Verkäufer gesagt hat.
- Er hat weniger Platz, als sie geglaubt hat.

5. Ärger mit dem Auto. Was ist hier kaputt? Was fehlt?

| Motor | Benzin | Bremse | Öl | Spiegel | Reifen | Bremslicht | Fahrlicht |

Der/Die/Das … ist kaputt / funktioniert nicht. Es fehlt …

6. Was ist passiert?

a) Hören Sie die drei Texte.

b) Welche Sätze sind richtig?

Dialog A:
- Ein Auto hat eine Panne.
- Hier ist ein Unfall passiert.
- Der Unfallwagen kommt.
- Der Mechaniker kommt.

Dialog B:
- Karl braucht Benzin.
- Karl braucht Öl.
- Karl muss zur Tankstelle gehen.

Dialog C:
- Das Fahrlicht funktioniert nicht.
- Die Bremsen funktionieren nicht.
- Der Scheibenwischer funktioniert nicht.
- Das Bremslicht funktioniert nicht.

7. Hören Sie den Dialog.

a) Hören Sie den Dialog 1 und ordnen Sie die Sätze.

Richtig, Herr Wegener. Was ist denn kaputt?

Ich kann es Ihnen nicht versprechen. Wir versuchen es.

Sonst noch etwas?

Morgen Mittag.

Natürlich, kein Problem.

Der Motor verliert Öl, und die Bremsen ziehen nach links.

Morgen erst? Ich brauche ihn aber unbedingt noch heute.

Nein. Wann kann ich den Wagen abholen?

Mein Name ist Wegener. Ich habe für heute einen Termin.

Na gut. Können Sie mich anrufen, wenn der Wagen fertig ist?

Vielen Dank!

b) Hören Sie die Dialoge 2 und 3. Welcher Satz passt zu welchem Dialog?

	Dialog 2	Dialog 3
Die Werkstatt soll die Reifen wechseln.	▮	▮
Die Fahrertür klemmt.	▮	▮
Das Fahrlicht vorne links ist kaputt.	▮	▮
Der Benzinverbrauch ist zu hoch.	▮	▮
Der Wagen ist am Freitag fertig.	▮	▮
Der Motor läuft nicht richtig.	▮	▮
Die Werkstatt soll die Bremsen prüfen.	▮	▮
Der Wagen ist am Donnerstag fertig.	▮	▮

c) Schreiben Sie ähnliche Dialoge und spielen Sie sie.

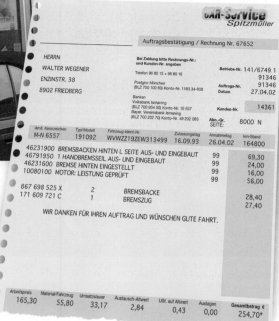

Herr Wegener holt sein Auto ab. Die Werkstatt sollte nur die Bremsen reparieren, aber nicht die Handbremse. Herr Wegener ärgert sich darüber, denn diese Reparatur hat 51 Euro 40 extra gekostet. Er beschwert sich deshalb.

● Sie sollten doch nur die Bremsen reparieren, aber nicht die Handbremse. Das können Sie doch nicht machen.
■ Aber die Handbremse hat nicht funktioniert. Das ist doch gefährlich.
● Ich brauche die Handbremse nie.
■ …

8. Schreiben Sie den Dialog weiter und spielen Sie ihn dann.

9. Schreiben Sie ähnliche Dialoge und spielen Sie sie.

a) Sie wollten für Ihr Auto zwei neue Reifen, aber die Werkstatt hat vier montiert.
b) Sie wollten nur für 20 Euro tanken, aber der Tankwart hat den Tank vollgemacht.

Sie können folgende Sätze verwenden:

Das	können Sie mit mir nicht machen!	Das	glaube ich nicht!
	geht doch nicht!		stimmt nicht!
	dürfen Sie nicht so einfach!		ist nicht wahr!
			ist falsch!
Das	interessiert mich nicht!		ist gelogen!
	ist mir egal!		
	überzeugt mich nicht!		

Sicher,	aber …	Da haben Sie recht.
Das stimmt,		Das habe ich nicht gewusst.
Sie haben recht,		Das tut mir leid.
Das tut mir leid,		Verzeihung!
Das ist richtig,		

Vom Blech zum Auto (Autoproduktion bei Volkswagen)

Zuerst wird das Blech automatisch geschnitten, dann werden daraus die Karosserieteile gepresst: Dächer, Böden, Seitenteile usw.

Dann werden Motor, Türen, Räder, Sitze und alle anderen Teile montiert. Das Auto ist jetzt fertig.

Danach werden die Blechteile zusammengeschweißt. Schwere Arbeit wird von Robotern gemacht.

Zum Schluss wird das ganze Auto noch einmal geprüft.

Jetzt werden die Karosserien lackiert. Jede Karosserie wird mehrere Male gespritzt. So wird sie gegen Rost geschützt.

Und dann werden die Autos – von einem eigenen Bahnhof aus – zu den Käufern geschickt.

10. Schreiben Sie einen kleinen Text.

a) Setzen Sie die Sätze richtig zusammen.

§ 21

Das ganze Auto			von Robotern	geschweißt.
Das Karosserieblech		wird	noch einmal	geprüft.
Motor, Räder und Sitze			gegen Rost	geschickt.
Die Karosserien			von Arbeitern	montiert.
Die fertigen Autos		werden	automatisch	geschützt.
Die Blechteile			zu den Käufern	geschnitten.

Roboter schweißen die Bleche.
(Aktiv)

Die Bleche werden von Robotern geschweißt.
(Passiv)

b) Bringen Sie die Sätze in die richtige Reihenfolge. Machen Sie dann einen kleinen Text daraus. Beginnen Sie die Sätze mit *zuerst, dann, danach, später, zuletzt:*

Zuerst wird ...   Dann werden ...

11. Ergänzen Sie die Sätze.

Opel in Rüsselsheim. In der Karosserieab-
teilung werden die Bleche geformt.

➜ *Hier arbeitet eine komplizierte*
  Maschine. Sie formt die Bleche.

Hier werden die Karosserieteile
geschweißt. Diese Arbeit wird von
Robotern gemacht.

➜ *Das sind Roboter. Sie ...*

In der Montageabteilung werden Motor,
Reifen, Lampen und Bremslichter
montiert.

➜ *Hier arbeitet Stefanie Jäger. Sie ...*

Zum Schluss wird das ganze Auto geprüft.

➜ *Bernd Ebers arbeitet schon seit 12*
  Jahren bei Opel. Er ...

Ein Autohaus in Schwerin. Hier wird
gerade ein Auto verkauft.

➜ *Christian Krüger ist Verkäufer bei*
  Opel. Er ...

1/31-35

12. Berufe rund ums Auto

a) Hören Sie die Dialoge zu dieser Übung. Was für Berufe haben die Leute?

b) Lesen Sie die folgenden Texte. Ergänzen Sie die Berufsbezeichnungen.

Der Berufskraftfahrer
Die Berufskraftfahrerin

Der Tankwart
Die Tankwartin

Der Autoverkäufer
Die Autoverkäuferin

Der Fahrlehrer
Die Fahrlehrerin

Der Automechaniker
Die Automechanikerin

Berufe rund ums Auto

In Deutschland leben rund 5 Millionen Arbeitnehmer vom Auto. Aber nur gut 2 Millionen arbeiten direkt für das Auto: in den großen Autofabriken, in kleineren Autoteilefabriken, in Tankstellen oder Werkstätten und in Autogeschäften. Die anderen Stellen sind in Büros, Ämtern und im Straßenbau. Informationen über die wichtigsten Berufe rund ums Auto finden Sie auf dieser Seite.

1. Der _____ / Die _____
400 bis 550 Kilometer täglich sind normal. Das ist keine leichte Arbeit, denn auf Europas Straßen gibt es immer mehr Verkehr. Trotzdem muss man immer pünktlich sein. Man ist oft mehrere Tage von seiner Familie getrennt. Ausbildung: Hauptschule, drei Jahre Berufsausbildung. Verdienst: zwischen 1300 und 1800 Euro netto. Chancen: sehr gut.

2. Der _____ / Die _____
Der Beruf ist bei Jungen sehr beliebt, aber auch einige Mädchen möchten gerne _____ werden. Man arbeitet in Werkstätten und an Tankstellen und repariert und pflegt Autos. Die Arbeit ist heute nicht mehr so anstrengend und schmutzig wie früher. Nach einer Prüfung als Kfz-Meister oder Kfz-Meisterin kann man eine eigene Werkstatt aufmachen. Ausbildung: Hauptschule, dreieinhalb Jahre Berufsausbildung. Verdienst: 1000 bis 2000 Euro, je nach Arbeitsort und Leistung. Chancen: Es geht, es gibt schon viele _____.

3. Der _____ / Die _____
_____ arbeiten als Angestellte oder sind selbstständig. Sie lehren die Fahrschüler das Autofahren, erklären ihnen im Unterricht die Verkehrsregeln und bereiten sie auf die Führerscheinprüfung vor. Für diesen Beruf braucht man sehr viel Geduld und gute Nerven. Ausbildung: Nach abgeschlossener Berufsausbildung oder Abitur wird man in einem Kurs von fünf Monaten auf die staatliche Prüfung vorbereitet. Verdienst: 2500 bis 3000 Euro (als Angestellter), als Selbstständiger mehr. Chancen: unterschiedlich; in Großstädten ist die Konkurrenz groß.

4. Der _____ / Die _____
_____ versorgen Kraftfahrzeuge mit Benzin, Diesel, Gas und Öl, verkaufen Autozubehörteile und andere Artikel wie Zeitschriften, Zigaretten und Getränke. Technische Arbeiten gehören auch zum Beruf: z.B. Reifen montieren, Batterien testen und Glühbirnen wechseln. Man berät Kunden, bedient die Kasse und kontrolliert das Warenlager. Die Arbeitszeit kann sehr unregelmäßig sein, denn viele Tankstellen sind auch abends, nachts und am Wochenende geöffnet. Ausbildung: Hauptschule, 3 Jahre Berufsausbildung. Verdienst: 1100 bis 1300 Euro. Chancen: als Selbstständiger ganz gut, als Angestellter schlechter.

5. Der _____ / Die _____
Man verkauft nicht nur Autos und berät Kunden, man muss auch Büroarbeit machen, Autos an- und abmelden und für Kunden Bankkredite und Versicherungspolicen besorgen. Viele arbeiten im Zubehörhandel. Ausbildung: drei Jahre nach der Hauptschule. Verdienst: sehr unterschiedlich, zwischen 1500 und 6000 Euro. Chancen: sehr gut, wenn man Erfolg hat.

Schichtarbeit

Viele Deutsche machen Schichtarbeit. Ihre Arbeitszeit wechselt ständig. Sie tun es, weil ihr Beruf es verlangt (wie bei Ärzten, Schwestern, Polizisten und Feuerwehrleuten) oder weil sie mehr Geld verdienen wollen. Schichtarbeiter und ihre Familien leben anders. Wie, das lesen Sie in unserem Bericht.

Zum Beispiel: **Familie März**

Franziska März, 33, aus Hannover ist verheiratet und hat eine zwölf Jahre alte Tochter und einen kleinen Sohn von vier Jahren. Sie arbeitet als Verkäuferin in einem Bahnhofskiosk, jeden Tag von 17 bis 22 Uhr. Seit sechs Jahren macht sie diesen Job.

Franziska März arbeitet seit sechs Jahren in diesem Bahnhofskiosk.

Ihr Mann, Jürgen, 37, ist Facharbeiter und arbeitet seit elf Jahren bei einer Autoreifenfabrik. Er arbeitet Frühschicht von 6 Uhr morgens bis 14.30 Uhr oder Nachtschicht von 23 Uhr bis 6 Uhr. Einen gemeinsamen Feierabend kennen die Eheleute nicht. Wenn seine Frau arbeitet, hat er frei. Dann sorgt er für die Kinder und macht das Abendessen.

„In der Woche sehen wir uns immer nur vormittags oder nachmittags für ein paar Stunden. Da bleibt wenig Zeit für Gespräche und für Freunde", sagt Franziska März. Jürgen März muss alle vier Wochen sogar am Wochenende arbeiten. „Er schläft nicht sehr gut und ist oft ziemlich nervös. Unsere Arbeit ist nicht gut für das Familienleben, das wissen wir", sagt seine Frau.

Trotzdem wollen beide noch ein paar Jahre so weitermachen, denn als Schichtarbeiter verdienen sie mehr. Und sie brauchen das Geld, weil sie sich ein Reihenhaus gekauft haben. „Mit meinem Gehalt bin ich zufrieden. Ich bekomme 11,15 Euro pro Stunde plus 60 % extra für die Nachtarbeit, für Überstunden bekomme ich 25 % und für Sonntagsarbeit sogar 100 % extra. Pro Jahr habe ich 30 Arbeitstage Urlaub und zwischen den Schichten immer drei Tage frei. Das ist besonders gut, denn dann kann ich am Haus und im Garten arbeiten."

Franziska März verdient weniger, 7,30 Euro pro Stunde. „Obwohl ich keinen Schichtzuschlag bekomme wie Jürgen, bin ich zufrieden. Als Verkäufe-

Wenn seine Frau arbeitet, sorgt Jürgen März für die Kinder.

rin in einem Kaufhaus würde ich weniger verdienen." Die Familie März hat zusammen 3200 Euro brutto pro Monat. Außerdem bekommen beide noch ein 13. Monatsgehalt und Jürgen auch Urlaubsgeld. Dafür können sie sich ein eigenes Haus leisten, ein Auto, schöne Möbel und auch eine kleine Urlaubsreise pro Jahr.

Aber sie bezahlen dafür ihren privaten Preis: weniger Zeit für Freunde und die Familie, Nervosität und Schlafstörungen. Arbeitspsychologen und Mediziner kennen diese Probleme und warnen deshalb vor langjähriger Schichtarbeit.

Eva Tanner

13. Welche Informationen finden Sie über Herrn und Frau März im Text?

	Vorname	Alter	Beruf	arbeitet wo?	seit wann?	Arbeitszeit	Stundenlohn
er							
sie							

14. Interviewfragen

a) Für ihren Zeitungsartikel hat die Reporterin Eva Tanner ein Interview mit Familie März gemacht. Welche Fragen hat sie wohl gestellt?

b) Partnerarbeit: Bereiten Sie ein Interview mit Herrn oder Frau März vor und spielen Sie es dann im Kurs.

> Was können Sie ...?   Warum ...?
>
> Wann ...?   Wie lange ...?   Wo ...?
>
> Wie alt ...?   Wie viel ...?
>
> Welche Vorteile/Nachteile ...?

15. Familie Behrens

1/36

Auch Herr und Frau Behrens haben unterschiedliche Arbeitszeiten.

a) Welche Stichworte passen zu Frau Behrens *F*, welche zu Herrn Behrens *H*, welche zu beiden *b*?

- Ingrid Behrens, 29, aus Ulm
- Norbert Behrens, 27, Taxifahrer
- Sohn, 4 Jahre, morgens im Kindergarten
- immer Nachtschicht von 20 bis 7 Uhr, immer am Wochenende, hat montags und dienstags frei
- ist Krankenschwester, Arbeitszeit 8 bis 13 Uhr
- ist mit der Familie und Freunden weniger zusammen, aber dafür intensiver
- nachmittags machen sie und ihr Mann gemeinsam den Haushalt, spielen mit dem Kind, gehen einkaufen

- mag seine Arbeit
- macht nach der Arbeit morgens das Frühstück, schläft dann bis 14 Uhr
- findet Nachtarbeit nicht schlimm, nur der Straßenlärm beim Tagesschlaf stört; suchen deshalb eine ruhigere Wohnung
- verdient 720 Euro brutto
- verdient zwischen 1000 und 1500 Euro
- müssen beide arbeiten, sonst reicht das Geld nicht
- möchte ein eigenes Taxi kaufen und selbstständig arbeiten, beide geben deshalb wenig Geld aus

b) Beschreiben Sie die Situation von Herrn und Frau Behrens. Ordnen Sie zuerst die Stichworte und erzählen Sie dann.

c) Schreiben Sie einen kurzen Text über die Familie Behrens.

Ingrid und Norbert Behrens wohnen in Ulm. Sie haben einen Sohn, er ist vier Jahre alt. Ingrid Behrens bringt ihn morgens ..., dann ...

16. Lohn-/Gehaltsabrechnung

a) Lesen Sie die Gehaltsabrechnung von Herrn März. Erklären Sie den Unterschied zwischen Netto- und Bruttolohn.

Lohn- / Gehaltsabrechnung Personal-Nr.: M 243 976 -01	Name: Jürgen März Zeitraum: 01.06. - 30.06. Lohn/Gehalt

162 Stunden à € 11,15 — 1722,85

Zuschläge für
10	Std. Mehrarbeit (25%)	€	27,87
8	Std. Sonn-/Feiertagsarbeit (100%)	€	89,17
8	Std. Samstagsarbeit (40%)	€	35,67
74	Std. Nachtarbeit (60%)	€	494,89

13. Monatsgehalt / Urlaubsgeld		
Essensgeld	€	-,-
Fahrgeld	€	30,68
Vermögensbildung	€	28,12
Bruttolohn	€	39,88
	€	2469,13

Abzüge
Lohnsteuer (Klasse IV, 2 Kinder)		€	454,16
Solidaritätszuschlag		€	24,98
Kirchensteuer (katholisch/evangelisch)		€	40,87
Krankenversicherung	333,33 – 50% Arbeitnehmeranteil	€	166,66
Pflegeversicherung	41,98 – 50% Arbeitnehmeranteil	€	20,99
Arbeitslosenversicherung	160,49 – 50% Arbeitnehmeranteil	€	80,24
Rentenversicherung	432,09 – 50% Arbeitnehmeranteil	€	216,05

Summe der Abzüge — € 1003,95

Nettolohn

Überweisung auf Konto-Nr. 045-756 149 Stadtsparkasse — € 1465,18

17. Haushaltsgeld – wofür?

a) Wie viel Geld verdient eine Durchschnittsfamilie (4 Personen) in Deutschland? Wie viel gibt sie für Essen, Kleidung, Auto usw. aus?

b) Herr und Frau März verdienen zusammen 2300 Euro netto pro Monat. Wie hoch sind ihre regelmäßigen Ausgaben und wofür werden sie verwendet? Wie viel Geld haben sie pro Monat übrig? Was macht die Familie wohl mit diesem Geld? Was meinen Sie? Wofür würden Sie persönlich das Geld ausgeben?

c) Vergleichen Sie die Familie März und die deutsche Durchschnittsfamilie.

Regelmäßige Ausgaben	
Haushalt	640.-
Lebensversicherung	100.-
Baukredit	646.-
Heizung	59.-
Telefon	40.-
Wasser und Strom	43.-
Kindergarten	46.-
Auto	165.-
Bausparvertrag	100.-
andere Ausgaben	150.-
	1989.-

Haushaltskasse
Monatliche Ausgaben in Euro für den privaten Verbrauch je Haushalt im Jahr 2004
Angaben: Statistisches Bundesamt

Miete, Strom, Heizung	600 €
Auto, Verkehrsmittel	355 €
Essen und Trinken	286 €
Freizeit, Kultur	231 €
Einrichtung, Haushaltsgeräte	175 €
Kleidung, Schuhe	156 €
Restaurant, Hotel	118 €
Gesundheit	99 €
Alkohol, Tabakwaren	94 €
Sonstige Ausgaben	83 €
Versicherungen	78 €
Telefon, E-Mail, Internet	59 €
Körperpflege	53 €
Persönliche Anschaffungen	29 €
Bildung	18 €

Kavalierstart

● hui, hui, hui, hui, hui, hui, hui, hui …

■ Na, will er heute nicht?

● hui, hui, hui, hui, hui, ploff, ploff – ploff – Mist!

■ Zu viel Gas gegeben. Jetzt sind die Zündkerzen nass.

● hui, hui, hui, hui, ploff, ploff, ploffploffploff … Nun komm
schon endlich!

■ Jetzt kommt er gleich. Nicht aufs Gaspedal drücken!

● hui, hui, hui, hui, ploff, ploff – ploff – peng! – Verdammte
Mistkarre!

■ Oder es ist der Verteiler …

● hui, hui, hui, hui, hui, hui, hui, hui …

■ Vorsicht mit der Batterie. Lange tut sie's nicht mehr.

● hui, hui, hui, hui, ploffploff-patsch-peng … hui, hui – hui. –
So eine Mistkarre, so eine verdammte!

■ Also, ich würde mal ein paar Stunden warten. Damit die
Zündkerzen trocknen …

● hui, hui, hui, hui, hu … hu …. hu ….. i …… i ……

■ Gute Nacht!

1 sich verlieben ◆ 2 sich küssen ◆ 3 sich streiten ◆ 4 die Hochzeit
5 die Kinder erziehen ◆ 6 die Geburt ◆ 7 der Großvater ◆ 8 der Enkel
9 die Enkelin 10 die Großmutter

FAMILIE

Die beste Lösung für Barbara

Er findet mich zu dick – ich versuche abzunehmen.

Er mag keine Zigaretten – ich versuche, weniger zu rauchen.

Er findet mich zu nervös – ich versuche, ruhiger zu sein.

Er liebt Pünktlichkeit – ich versuche, pünktlicher zu sein.

Er findet mich langweilig – ich versuche, aktiver zu sein.

Er findet mich unfreundlich – ich versuche, netter zu sein

Er sagt, ich arbeite zu viel – ich versuche, weniger zu arbeiten.

Er will mich ganz anders – ich versuche, einen anderen Mann zu finden.

§ 30

1. Was macht Barbara?

Barbaras Mann sagt:	Was macht Barbara?
„Du isst zu viel."	Sie versucht, weniger zu essen.
„Ich mag es nicht, dass du rauchst."	Sie versucht, …
„Du bist zu unruhig."	Sie …
„Du kommst schon wieder zu spät."	…
„Andere Frauen sind aktiver."	
„Warum lachst du nie?"	
„Du kommst immer so spät aus dem Büro."	
„Dein Essen schmeckt nicht."	

2. Was gefällt Ihnen bei anderen Leuten? Was gefällt Ihnen nicht?

Ich hasse es, wenn jemand zu viel redet.

Unhöfliche Leute kann ich nicht leiden.

Ich mag lustige Leute.

Mir gefällt es, wenn jemand Humor hat.

Tiere mögen   zu viel Alkohol trinken
dauernd über Geld sprechen
gut aussehen   oft schlechte Laune haben
Kinder mögen   rauchen   …

aggressiv höflich dumm doof laut
dick langweilig ehrlich pünktlich
intelligent neugierig freundlich …

3. Wie finden Sie Ihre Freunde, Ihre Bekannten, Ihre …? Was gefällt Ihnen? Was gefällt Ihnen nicht?

Mein Nachbar versucht immer, mich zu ärgern.

Mein Freund hat nie Lust, mit mir tanzen zu gehen.

Mein Meine	Kollege Kollegin Chef(in) Nachbar(in) Freund(in) Schwester Bruder Lehrer(in) …	vergisst versucht	immer, meistens, oft, manchmal, …	mir mich sich sich mit mir mit mir essen/tanzen eine Pause über Politik die Wohnung …	zu helfen. / zu reden. zu ärgern. / zu entschuldigen. zu unterhalten. / anzurufen. zu gehen. / einzuladen. zu flirten. / zu machen. zu kritisieren. / zu kochen. zu … aufzuräumen. …
		hat	selten nie …	Lust, Zeit,	
		hilft mir	nie, selten,		

4. Wolfgang und Carola haben Streit.

a) Hören Sie den Dialog.

b) Was ist richtig?

A Wolfgang kommt zu spät nach Hause, weil
   ☐ er länger arbeiten musste.
   ☐ ein Kollege Geburtstag hatte.
   ☐ er eine Kollegin nach Hause gebracht hat.

B Wolfgang wollte Carola anrufen, aber
   ☐ es war dauernd besetzt.
   ☐ das Telefon war kaputt.
   ☐ er konnte kein Telefon finden.

C Carola hat
   ☐ gar nicht telefoniert.
   ☐ ihre Mutter in Bremen angerufen.
   ☐ mit ihrer Schwester in Budapest telefoniert.

D Wolfgang ärgert sich, weil
   ☐ die Telefonrechnungen immer sehr hoch sind.
   ☐ Carola kein Abendessen gemacht hat.
   ☐ Carola zu viel Geld für Kleider ausgibt.

E Carola ist unzufrieden, weil
   ☐ Wolfgang am Wochenende immer arbeitet.
   ☐ Wolfgang zu wenig Geld verdient.
   ☐ Wolfgang zu wenig mit ihr spricht.

5. Auch Hertha und Georg streiten sich ziemlich oft. Sie gehen zu einem Eheberater und erzählen ihm ihre Probleme.

a) Was kritisiert Georg an Hertha? Was kritisiert Hertha an Georg? Was meinen Sie? Finden Sie für jeden fünf Sätze. Sie können auch selbst Sätze bilden.

b) Wenn Sie möchten, können Sie das Gespräch auch spielen.

Er/Sie vergisst … hilft … versucht … hat nie Lust … hat nie Zeit … hat nicht gelernt … hat Angst …

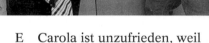

Sie hilft mir nie, das Auto zu waschen.

mich morgens wecken   Geld sparen
den Fernseher ausmachen
mich küssen   mir alles erzählen
die Wohnung aufräumen
ins Kino gehen   in der Küche helfen
Frühstück machen
Kinder in den Kindergarten bringen
sich duschen
mit den Kindern spielen
mit anderen Männern flirten
Hosen in den Schrank hängen
…

Thema des Tages

Junge Paare heute:
Erst mal leben – Kinder später

Wenn junge Paare heute heiraten, dann wollen sie meistens nicht sofort Kinder bekommen. Viele möchten in den ersten Ehejahren frei sein und das Leben genießen. Andere wollen zuerst mal Karriere machen und Geld verdienen, um sich ein eigenes Haus, schöne Möbel und ein neues Auto kaufen zu können. Kinder sollen erst später oder überhaupt nicht kommen. Eine Untersuchung der Universität Bielefeld hat gezeigt:

- Nur 10 Prozent der jungen Ehepaare wollen gleich nach der Heirat Kinder.
- 30 Prozent haben keine klare Meinung. Eigentlich möchten sie Kinder, aber sie finden, dass Beruf, Karriere, Reisen und Anschaffungen in den ersten Ehejahren genauso wichtig sind.
- 60 Prozent finden, dass berufliche Karriere und Anschaffungen am Anfang der Ehe wichtiger sind. Nach einigen Jahren möchten sie dann vielleicht auch Kinder haben.

6. Hören Sie vier Interviews. Wie passen die Sätze zusammen?

1/39-42

Martin (30) und Astrid (28) Harig, Lehrer/Verkäuferin, Gütersloh

Heinz (23) und Agnes (21) Lehnert, Bürokaufmann/ Auszubildende (Verlagskauffrau), Halle

Volker (25) und Bärbel (26) Sowisch, Angestellter/Beamtin, Celle

Thomas (29) und Claudia (26) Tempe, Fahrlehrer/Arzthelferin, Ulm

Astrid meint, ▢	a) dass junge Eltern für Kinder besser sind.
Sie möchte mit ihrem Mann ▢	b) lieben Kinder sehr.
Kinder würden ▢	c) noch viel für ihre Wohnung anschaffen.
Heinz und seine Frau ▢	d) obwohl sie Kinder lieben.
Er hofft, ▢	e) dass ein Ehepaar keine Kinder haben muss.
Außerdem möchte er, dass seine Frau ▢	f) dass sie sofort ein Kind haben will.
Bärbel und ihr Mann wollen jetzt noch kein Baby, ▢	g) erst noch ihren Abschluss macht.
Bärbel muss arbeiten, ▢	h) oft in Konzerte gehen.
Außerdem müssen sie ▢	i) sie und ihren Mann nur stören.
Claudia sagt, ▢	j) weil ihr Mann nicht viel verdient.
Sie und ihr Mann ▢	k) wollen noch drei Jahre ohne Kinder bleiben.
Sie meinen, ▢	l) dass sie dann eine Wohnung mit Garten haben.

LEKTION 5 | 4

Wir haben geheiratet

Helmut Schwarz
Burglind Schwarz
geb. Marquardt

33689 Bielefeld,
Am Stadion 20

ZZ. auf Hochzeitsreise

Wir verloben uns

Karin Bonner
Moorpad 7
26345 Bockhorn

Michael Kreymborg
Hinterbusch 22
26316 Varel

1/43

7. Hören Sie den Modelldialog. Machen Sie weitere Dialoge nach diesem Muster.

● Sag mal: Stimmt es, dass Burglind geheiratet hat?
■ Ja, das habe ich auch gehört.
● Und – ist er nett?
■ Ich weiß nur, dass er Helmut heißt.
● Kennt sie ihn schon lange?
■ Das weiß ich nicht. Sie hat ihn im Urlaub kennengelernt, glaube ich.

Nebensatz mit „dass"	Hauptsatz
Ich habe gehört, dass Burglind geheiratet hat.	Burglind hat geheiratet.

❯
§ 14, 25

a) Burglind hat geheiratet. Ihr Mann heißt Helmut. Sie hat ihn im Urlaub kennengelernt.
b) Karin hat sich verlobt. Ihr Verlobter heißt Michael. Sie hat ihn in einer Diskothek kennengelernt.
c) Giorgio hat eine Freundin. Sie ist Italienerin. Er hat sie im Deutschkurs kennengelernt.
d) Max hat geheiratet. Seine Frau ist Sekretärin. Er hat sie in seiner Firma kennengelernt.
e) Herr Krischer hat sich verlobt. Seine Verlobte heißt Maria. Er hat sie in der Universität kennengelernt.
f) Ina hat einen neuen Freund. Er ist Ingenieur. Sie hat ihn in der U-Bahn kennengelernt.

1/44

8. Meinungen, Urteile, Vorurteile …

Ich glaube, dass Liebe in der Ehe am wichtigsten ist.
Ich bin dagegen, dass eine Ehefrau arbeitet.
Ich glaube, dass die Ehe die Liebe tötet.
Ich bin überzeugt, dass alle Frauen gern heiraten wollen.
Ich bin der Meinung, dass eine Ehe ohne Kinder nicht glücklich sein kann.
Ich bin sicher, dass die Ehe in 50 Jahren tot ist.
Ich finde, dass man schon sehr jung heiraten soll.

a) Was denken Sie über die Ehe? Schreiben Sie fünf Sätze.
b) Wie finden Sie die Meinungen der anderen Kursteilnehmer?

Das ist nicht ganz falsch.
Ich finde, dass …

Das ist doch Unsinn!
Ich bin dafür, dass …

Na ja, ich weiß nicht.
Sicher, aber ich meine, dass …

» So ist es jeden Abend «

Im Sommer ist es schön, weil wir dann abends in den Garten gehen. Dann grillen wir immer, und mein Vater macht ganz tolle Salate und Soßen.

© *Nicola, 9 Jahre*

Bei uns möchte jeder abends etwas anderes. Ich möchte mit meinen Eltern spielen, meine Mutter möchte sich mit meinem Vater unterhalten, und mein Vater will die Nachrichten sehen. Deshalb gibt es immer Streit.

© *Holger, 11 Jahre*

Bei uns gibt es abends immer Streit. Mein Vater kontrolliert meine Hausaufgaben und regt sich über meine Fehler auf. Meine Mutter schimpft über die Unordnung im Kinderzimmer. Dann gibt es Streit über das Fernsehprogramm. Mein Vater will Politik sehen und meine Mutter einen Spielfilm. So ist das jeden Abend.

© *Heike, 11 Jahre.*

Mein Vater will abends immer nur seine Ruhe haben. Wenn wir im Kinderzimmer zu laut sind, sagt er immer: „Entweder ihr seid still oder ihr geht gleich ins Bett!"

© *Susi, 8 Jahre*

Ich möchte abends gern mit meinen Eltern spielen. Mutter sagt dann immer: „Ich muss noch aufräumen" oder „Ich fühle mich nicht wohl". Und Vater will fernsehen.

© *Sven-Oliver, 8 Jahre*

Bei uns ist es abends immer sehr gemütlich. Meine Mutter macht ein schönes Abendessen, und mein Vater und ich gehen mit dem Hund spazieren. Nach dem Essen darf ich noch eine halbe Stunde aufbleiben.

© *Petra, 9 Jahre*

Meine Mutter möchte abends manchmal weggehen, ins Kino oder so, aber mein Vater ist immer müde. Oft weint meine Mutter dann, und mein Vater sagt: „Habe ich bei der Arbeit nicht genug Ärger?"

© *Frank, 10 Jahre*

Wenn mein Vater abends um sieben Uhr nach Hause kommt, ist er ganz kaputt. Nach dem Essen holt er sich eine Flasche Bier aus dem Kühlschrank und setzt sich vor den Fernseher. Meine Mutter sagt dann immer: „Warum habe ich dich eigentlich geheiratet?"

9. Familienabend

a) Zu welchen Texten von Seite 65 passen die Sätze? Welche passen zu keinem Text?

Nicola	Holger	Heike	Susi	Sven	Petra	Frank	Brigitte	niemand

A   Der Vater will jeden Abend fernsehen.

B   Der Vater hat schlechte Laune, weil er sich im Betrieb geärgert hat.

C   Der Vater muss abends lange arbeiten.

D   Dem Vater schmeckt das Essen nicht.

E   Die Mutter ist ärgerlich, weil der Vater abends immer müde ist.

F   Die Mutter schimpft immer über die Unordnung im Kinderzimmer.

G   Abends kommt oft Besuch.

H   Die Kinder sind abends alleine, weil die Eltern weggehen.

I   Die Kinder dürfen abends ihre Freunde einladen.

J   Die Eltern haben abends keine Lust, mit den Kindern zu spielen.

K   Es gibt Streit über das Fernsehen.

L   Der Abend ist immer sehr gemütlich.

M   Die Kinder müssen entweder ruhig sein, oder sie müssen ins Bett.

1/45-46

10. Was macht der Mann abends? Was macht die junge Frau abends?

a)   Hören Sie die Texte auf der Kassette.

b)   Welche Stichworte passen zu Günter *G* , welche zu Vera *V* ?

Günter Kramer (31),
Bürokaufmann,
verheiratet, 2 Kinder,
Hannover

Vera Meister (24),
Sekretärin, ledig,
Berlin

- alte Filme
- Bekannte treffen
- ein Bier
- Stammkneipe
- erst mal müde
- etwa fünf Uhr
- Dusche

- fernsehen
- Freunde einladen
- gegen sieben Uhr
- Jazztanz
- Kaffee trinken
- Kinder: spielen / Hausaufgaben

- nicht fernsehen
- nicht stören dürfen
- Theaterabonnement
- tolles Menü
- Viertel nach vier

- Zeitung
- Sauna
- zu Hause bleiben
- zweimal pro Woche zum Sport

c)   Berichten Sie: Wie verbringen Günter und Vera ihren Feierabend?
Günter kommt meistens gegen fünf Uhr nach Hause. Dann …

d)   Was machen Sie abends? Erzählen Sie.

11. Die Familie in Deutschland früher und heute

Früher …

– heiratete man sehr früh.

– verdiente nur der Mann Geld.

– kümmerte sich der Vater nur selten um
  die Kinder.

– hatten die Familien viele Kinder.

– half der Mann nie im Haushalt.

– erzog man die Kinder sehr streng.

– lernten nur wenige Frauen einen Beruf.

– wurden die Kinder geschlagen.

– lebten die Großeltern meistens bei den
  Kindern.

– lebten keine unverheirateten Paare
  zusammen.

– war der Mann der Herr im Haus.

Heute …

_____

_____

_____

_____

_____

_____

_____

_____

_____

_____

_____

❯
§ 19

| auch | oft/öfter | weniger | seltener | meistens | später | nicht so | mehr | … |

Heute	Früher
Präsens	**Präteritum**
Man ist …	Man war …
Man hat …	Man hatte …
Man heiratet …	Man heiratete …
Man erzieht …	Man erzog …

Fünf Generationen auf dem Sofa

So ein Foto gibt es nur noch selten: fünf Generationen auf einem Sofa. Zusammen sind sie 244 Jahre alt: von links Sandras Urgroßmutter Adele (75), Sandras Großmutter Ingeborg (50), Sandra (2), Sandras Mutter Ulrike (23), Sandras Ururgroßmutter Maria (94).

Zwischen der Ururgroßmutter und der Ururenkelin liegen 92 Jahre. In dieser langen Zeit ist vieles anders geworden, auch die Familie und die Erziehung.

Mit 30 hatte sie schon sechs Kinder.

Maria lebt in einem Altersheim. Trotzdem ist sie nicht allein; eine Tochter oder ein Enkelkind ist immer da, isst mit ihr und bleibt, bis sie im Bett liegt. Maria ist sehr zufrieden – viele alte Leute bekommen nur sehr selten Besuch. Marias Jugendzeit war sehr hart. Eigentlich hatte sie nie richtige Eltern. Als sie zwei Jahre alt war, starb ihr Vater. Ihre Mutter vergaß ihren Mann nie und dachte mehr an ihn als an ihre Tochter. Maria war deshalb sehr oft allein, aber das konnte sie mit zwei Jahren natürlich noch nicht verstehen. Ihre Mutter starb, als sie 14 Jahre alt war. Maria lebte dann bei ihrem Großvater. Mit 17 Jahren heiratete sie, das war damals normal. Ihr erstes Kind, Adele, bekam sie, als sie 19 war. Mit 30 hatte sie schließlich sechs Kinder.

Maria, 94 Jahre alt, Ururgroßmutter

Sie wurde nur vom Kindermädchen erzogen.

Adele lebte als Kind in einem gutbürgerlichen El-

Adele, 75 Jahre alt,
Urgroßmutter

ternhaus. Wirtschaftliche Sorgen kannte die Familie nicht. Nicht die Eltern, sondern ein Kindermädchen erzog die Kinder. Sie hatten auch einen Privatlehrer. Mit ihren Eltern konnte sich Adele nie richtig unterhalten; sie waren ihr immer etwas fremd. Was sie sagten, mussten die Kinder unbedingt tun. Wenn zum Beispiel die Mutter nachmittags schlief, durften die Kinder nicht laut sein und spielen. Manchmal gab es auch Ohrfeigen. Als sie 15 Jahre alt war, kam Adele in eine Mädchenschule. Dort blieb sie bis zur mittleren Reife. Dann lernte sie Kinderschwester, musste jedoch die Ausbildung wegen des Krieges abbrechen. Aber eigentlich fand sie es nicht so wichtig, einen Beruf zu lernen, denn sie wollte auf jeden Fall lieber heiraten und eine Familie haben. Auf Kinder freute sie sich besonders. Die wollte sie dann aber freier erziehen, als sie selbst erzogen worden war, denn an ihre eigene Kindheit dachte sie schon damals nicht so gern zurück.

Das Wort der Eltern war Gesetz.

Ingeborg hatte ein wärmeres und freundlicheres Elternhaus als ihre Mutter Adele. Sie fühlte sich bei ihren Eltern immer sehr sicher. Aber trotzdem, auch für sie war das Wort der Eltern Gesetz. Wenn zum Beispiel Besuch im Haus war,

Ingeborg, 50 Jahre alt,
Großmutter

dann mussten die Kinder gewöhnlich in ihrem Zimmer bleiben und ganz ruhig sein. Am Tisch durften sie nur dann sprechen, wenn man sie etwas fragte. Die Eltern haben Ingeborg immer den Weg gezeigt. Selbst hat sie nie Wünsche gehabt. Auch in ihrer Ehe war das so. Heute kritisiert sie das. Deshalb versucht sie jetzt mit 50 Jahren, selbstständiger zu sein und mehr an sich selbst zu denken. Aber weil Ingeborg das früher nicht gelernt hat, ist das für sie natürlich nicht leicht.

Der erste Rebell in der Familie.

Ulrike wollte schon früh anders leben als ihre Eltern. Für sie war es nicht mehr normal, immer nur das zu tun, was die Eltern sagten. Noch während der Schulzeit zog sie deshalb zu Hause aus. Ihre Eltern konnten das am Anfang nur schwer verstehen. Mit 21 bekam sie ein Kind, aber den Mann wollte sie nicht heiraten. Trotzdem blieb sie mit dem Kind nicht allein. Ihre Mutter,

Ulrike, 23 Jahre alt,

aber auch ihre Großmutter halfen ihr. Beide konnten Ulrike sehr gut verstehen. Denn auch sie wollten in ihrer Jugend eigentlich anders leben als ihre Eltern, konnten es aber nicht.

Sie bekommt sehr viel Liebe.

Die kleine Sandra wird von allen geliebt. Die Erwachsenen wollen, dass das kleine Mädchen eine schönere Kindheit hat als sie selbst. Sandra muss nur ins Bett, wenn sie müde ist, und sie soll auch nicht brav in ihrem Stuhl sitzen. Das sahen wir bei unserem Besuch in der Familie. Sie darf spielen, wann und wo sie möchte, denn sie wird schon jetzt frei erzogen. Die Wünsche eines kleinen Kindes zu akzeptieren – das wäre früher unmöglich gewesen.

12. Maria, Adele, Ingeborg, Ulrike, Sandra

Welche Sätze passen zur Jugendzeit von Maria, Adele, Ingeborg, Ulrike und Sandra?
Diskutieren Sie die Antworten.

a) Die Kinder machen, was die Eltern sagen.
b) Die Kinder sollen selbstständig und kritisch sein.
c) Die Kinder wollen anders leben als ihre Eltern.
d) Die Eltern haben viele Kinder.
e) Frauen müssen verheiratet sein, wenn sie ein Kind wollen.

f) Die Wünsche der Kinder sind unwichtig.
g) Der Vater arbeitet, und die Mutter ist zu Hause.
h) Man hat gewöhnlich nur ein oder zwei Kinder.
i) Frauen heiraten sehr jung.
j) Frauen wollen lieber heiraten als einen Beruf haben.

13. Damals und heute

a) So ist die Kindheit von Sandra (2) heute.

Sandra wird frei erzogen. Dadurch kann sie schon früh selbstständig werden. Natürlich muss sie nicht immer machen, was ihre Mutter Ulrike sagt. Ohrfeigen bekommt sie nie, auch wenn sie größer ist. Ihre Mutter kümmert sich viel um sie und spielt oft mit ihr. Mutter und Tochter verstehen sich sehr gut. Sandra ist ein intelligentes Kind. Sie kommt später sicher aufs Gymnasium. Ulrike möchte, dass ihre Tochter das Abitur macht. Studium und Beruf findet Sandra später einmal bestimmt genauso wichtig wie Ehe und Kinder.

❯
§ 19

b) Wie war die Kindheit von Sandras Urgroßmutter Adele? Erzählen Sie.
Lesen Sie vorher noch einmal den Text über Adele auf S. 69.

Präteritum

schwache Verben	starke Verben
sagt – sagte	wird – wurde
macht – machte	kommt – kam
kümmert – kümmerte	bekommt – bekam
spielt – spielte	findet – fand
	versteht – verstand

Adele wurde ziemlich streng erzogen. Nicht ihre Eltern, sondern ...

Sie hatte ...

14. Wie waren Ihre Jugend und Ihre Erziehung? Erzählen Sie.

Sie können folgende Wörter und Sätze verwenden:

Ich	musste	selten	...	Ich habe	immer	Lust/Zeit/Angst gehabt,	... zu ...
	durfte	nie			oft	versucht,	
	sollte	oft			nie	...	
	konnte	manchmal			selten		
		meistens			...		
		jeden Tag					
		immer		Mein Vater/Bruder		war	nie	...
		gewöhnlich		Meine Mutter/Schwester		hat	...	
		regelmäßig	...				

Ich habe mich		immer	über	...	geärgert.
Meine Eltern haben	sich	selten	für		gefreut.
Mein Vater hat		oft	...		interessiert.
Meine Mutter hat		...			aufgeregt.
					...

aufpassen auf, anziehen, aufstehen, einkaufen, essen, fragen, mitkommen, schlafen gehen, lügen, stören, bleiben, tragen, sich unterhalten, verbieten, kritisieren, singen, arbeiten, aufräumen, ausgeben, bekommen, mitgehen, putzen, studieren, rauchen, spielen, tanzen, helfen, kochen, spazieren gehen, Sport treiben, machen, fernsehen, schwimmen, weggehen, telefonieren

15. Jeder hat vier Urgroßväter und vier Urgroßmütter.

a) Der Vater der Mutter meiner Mutter ist mein Urgroßvater.
Der Vater der Mutter meines Vaters ist mein Urgroßvater.
Der Vater des Vaters meines Vaters ist mein Urgroßvater.
Der Vater des Vaters meiner Mutter ist mein Urgroßvater.

b) Die Mutter der ...
Die Mutter des ...

> §4

16. Machen Sie ein Fragespiel.

Der Mann der Schwester meiner Mutter: Wer ist das?

Das ist dein Onkel.

Die Frau des Vaters meiner...
Die Tochter der ...

Das ist ...

a) Onkel – Tante
b) Neffe – Nichte
c) Enkel – Enkelin
d) Cousin – Cousine
e) Sohn – Tochter
f) Bruder – Schwester
g) Schwager – Schwägerin
h) Großmutter (Oma) – Großvater (Opa)
i) Urgroßmutter – Urgroßvater

Kalter Kaffee

● Der Kaffee ist wieder mal kalt, Liselotte!

■ Aber Erich, der Kaffee ist doch nicht kalt!

● Jedenfalls ist er nicht heiß.

■ Aber du kannst doch nicht im Ernst behaupten, Erich, dass der Kaffee kalt ist.

● Wenn ich sage, dass der Kaffee kalt ist, so will ich damit sagen, dass er nicht heiß ist. Das ist eine Tatsache.

■ Was? Dass der Kaffee kalt ist?

● Nein, dass er nicht heiß ist.

■ Du gibst also zu, dass er nicht kalt ist!

● Liselotte – der Kaffee … ist … wieder mal … nicht heiß!

■ Vorhin hast du gesagt, er ist wieder mal kalt.

● Und damit wollte ich sagen, dass er nicht heiß ist.

■ Also, ich finde, dass der Kaffee warm ist. Jawohl, warm! Und so soll er auch sein.

● Nein. Der Kaffee muss heiß sein, wenn er schmecken soll. Und es stimmt auch nicht, dass er warm ist. Er ist höchstens lauwarm.

■ Wenn er lauwarm ist, dann ist er nicht kalt.

● Lauwarmer Kaffee ist noch schlimmer als kalter Kaffee.

■ Und warum, glaubst du, ist der Kaffee lauwarm?

● Weil du ihn wieder mal nicht heiß auf den Tisch gestellt hast.

■ Nein, mein Lieber! Weil du ihn nicht trinkst, sondern seit zehn Minuten behauptest, dass er kalt ist.

Artikel und Nomen

§ 1 Artikelwörter: „dieser", „mancher", „jeder" / „alle"

	Nominativ		*Akkusativ*		*Dativ*		*Genitiv*	
Singular:	dies**er**	Mann	dies**en**	Mann	dies**em**	Mann	dies**es**	Mannes
	dies**e**	Frau	dies**e**	Frau	dies**er**	Frau	dies**er**	Frau
	dies**es**	Kind	dies**es**	Kind	dies**em**	Kind	dies**es**	Kindes
Plural:	dies**e**	Leute	dies**e**	Leute	dies**en**	Leuten	dies**er**	Leute

Diese Endungen auch bei den Artikelwörtern mancher *und* jeder/alle:

manch**er**	Mann	manch**en**	Mann	manch**em**	Mann	manch**es**	Mannes
…		…		…		…	

 Plural von jeder *ist* alle:

Singular:	jed**er**	Mann	jed**en**	Mann	jed**em**	Mann	jed**es**	Mannes
	…		…		…		…	
Plural:	all**e**	Leute	all**e**	Leute	all**en**	Leuten	all**er**	Leute

Die Endungen sind wie die Endungen des definiten Artikels:

	Mask.	*Fem.*	*Neutrum*	*Plural*
Nominativ	-er	-e	-es	-e
Akkusativ	-en	-e	-es	-e
Dativ	-em	-er	-em	-en
Genitiv	-es	-er	-es	-er

§ 2 Artikel bei zusammengesetzten Nomen

<u>die</u> Arbeit + <u>der</u> Tag → <u>der</u> Arbeitstag
<u>der</u> Urlaub + <u>die</u> Reise → <u>die</u> Urlaubsreise
<u>die</u> Woche + <u>das</u> Ende → <u>das</u> Wochenende

Nomen mit besonderen Formen im Singular §3

a) Einige maskuline Nomen

Nominativ	der	Mensch	Herr	Kollege	Name
Akkusativ	den	Mensch**en**	Herr**n**	Kollege**n**	Name**n**
Dativ	dem	Mensch**en**	Herr**n**	Kollege**n**	Name**n**
Genitiv	des	Mensch**en**	Herr**n**	Kollege**n**	Name**ns**

Diese Endungen auch bei anderen Nomen:

Diese Endungen auch bei

wie Mensch: Assist**ent**, Pati**ent**, Präsid**ent**, Stud**ent**, Musik**ant**, …
Demokr**at**, Sold**at**, …
Fotogr**af**, …
Journal**ist**, Jur**ist**, Kompon**ist**, Poliz**ist**, Tour**ist**, …

Friede, Gedanke

wie Herr: Bauer; Nachbar
wie Kollege: Junge, Kunde, Neffe
Chinese, Grieche, Franzose, …

b) Nomen aus Adjektiven

	Maskulinum				Femininum			
Nom.	der	Angestellt**e**	ein	Angestellt**er**	die Angestellt**e**	eine	Angestellt**e**
Akk.	den	Angestellt**en**	einen	Angestellt**en**	die Angestellt**e**	eine	Angestellt**e**
Dat.	dem	Angestellt**en**	einem	Angestellt**en**	der Angestellt**en**	einer	Angestellt**en**
Gen.	des	Angestellt**en**	eines	Angestellt**en**	der Angestellt**en**	einer	Angestellt**en**

Diese Endungen auch bei
der/die Angehörige, Arbeitslose, Bekannte, Deutsche, Erwachsene, Jugendliche, Kranke, Selbstständige, Tote, Verlobte, Verwandte, …; der Beamte (*Femininum:* die Beamtin)

 Vgl. Deklination der Adjektive § 5.

Genitiv bei Ausdrücken mit Possessivartikel und bei Namen §4

die Frau	von meinem	Bruder	die Frau	mein**es**	Bruders
der Mann	von meiner	Schwester	der Mann	mein**er**	Schwester
die Mutter	von meinem	Kind	die Mutter	mein**es**	Kindes
die Eltern	von meinen	Eltern	die Eltern	mein**er**	Eltern

die Frau	von Helmut	Helmut**s**	Frau
der Mann	von Ingrid	Ingrid**s**	Mann
das Kind	von Ulrike	Ulrike**s**	Kind

 Vornamen auf -s oder -z kann man mit Apostroph schreiben: Thomas' Frau.
Beim Sprechen benützt man oft von + *Name:* die Frau von Thomas.

Adjektiv

§ 5   Artikelwort + Adjektiv + Nomen

		nach definitem Artikel	*nach indefinitem Artikel*
Singular:	*Nominativ*	der kleine Mann die kleine Frau das kleine Kind	ein kleiner Mann eine kleine Frau ein kleines Kind
	Akkusativ	den kleinen Mann die kleine Frau das kleine Kind	einen kleinen Mann eine kleine Frau ein kleines Kind
	Dativ	dem kleinen Mann der kleinen Frau dem kleinen Kind	einem kleinen Mann einer kleinen Frau einem kleinen Kind
	Genitiv	des kleinen Mannes der kleinen Frau des kleinen Kindes	eines kleinen Mannes einer kleinen Frau eines kleinen Kindes

Diese Formen auch nach
dieser, diese, dieses
jeder, jede, jedes; alle

Diese Formen auch nach
kein, keine
mein, meine; dein, deine; ...

Plural:		*nach definitem Artikel*	*nach indefinitem Artikel*
	Nominativ	die kleinen Leute	kleine Leute
	Akkusativ	die kleinen Leute	kleine Leute
	Dativ	den kleinen Leuten	kleinen Leuten
	Genitiv	der kleinen Leute	kleiner Leute

Diese Formen auch nach
diese
alle
keine
meine, deine, seine, ...

§ 6   Adjektive mit besonderen Formen

Das Kleid ist	teuer.	–	Das ist ein	teures	Kleid.
Der Wein ist	sauer.	–	Das ist ein	saurer	Wein.
Der Rock ist	dunkel.	–	Das ist ein	dunkler	Rock.
Ihre Stirn ist	hoch.	–	Sie hat eine	hohe	Stirn.

Steigerung des Adjektivs §7

	Adjektiv als Ergänzung zum Verb sein			*Artikel + Adjektiv + Nomen*		
	Der Opel ist		schnell.	Der Opel ist	ein schnell es	Auto.
Komparativ	Der Fiat ist		schnell er.	Der Fiat ist	das schnell er e	Auto.
					ein schnell er es	Auto.
Superlativ	Der Renault ist	am schnell st en		Der Renault ist	das schnell st e	Auto.

Vergleiche §8

a) Ohne Steigerung

Der Opel ist	so schnell	wie	der Ford.	
Der Opel ist	genauso schnell	wie	der Ford.	
Der Opel ist	fast so schnell	wie	der Ford.	so + *Adjektiv* + wie
Der Opel ist	nicht so schnell	wie	der Ford.	
Der Opel ist	nicht so schnell,	wie	der Verkäufer gesagt hat.	

b) Mit Steigerung (Komparativ)

Der Fiat ist		schneller als	der Opel.	
Der Fiat ist	etwas	schneller als	der Opel.	
Der Renault ist	viel	schneller als	der Opel.	*Adjektiv im Komparativ* + als
Der Fiat ist	nicht	schneller als	der Renault.	
Der Renault ist	viel	schneller, als	der Verkäufer gesagt hat.	

Ordinalzahlen §9

der 1. Mai	der	erste	Mai	*Endungen: wie die*
die 2. Stelle	die	zweite	Stelle	*Adjektivendungen,*
das 3. Kind	das	dritte	Kind	*siehe § 5!*
Ulm, den 4. Juni	den	vierten	Juni	
im 5. Lebensjahr	im	fünften	Lebensjahr	
am 6. August	am	sechsten	August	
im 7. Monat	im	siebten	Monat	
…				

der 20. Mai	der	zwanzig ste	Mai
am 21. Juni	am	einundzwanzig sten	Juni
sein 100. Kunde	sein	(ein)hundert ster	Kunde
die 101. Frage	die	(ein)hunderterste	Frage
das 1000. Mitglied	das	(ein)tausend ste	Mitglied

Pronomen

§ 10   Reflexivpronomen

	Akkusativ				*Dativ*		
Ich	ärgere	mich	über die Sendung.	Ich	kaufe	mir	einen Fernseher.
Du	ärgerst	dich		Du	kaufst	dir	
Sie	ärgern	sich		Sie	kaufen	sich	
Er	ärgert	sich		Er	kauft	sich	
Sie	ärgert	sich		Sie	kauft	sich	
Es	ärgert	sich		Es	kauft	sich	
Wir	ärgern	uns		Wir	kaufen	uns	
Ihr	ärgert	euch		Ihr	kauft	euch	
Sie	ärgern	sich		Sie	kaufen	sich	
Sie	ärgern	sich		Sie	kaufen	sich	

Er ärgert <u>sich</u>.
≠ Er ärgert <u>ihn</u>.

Er kauft <u>sich</u> einen Fernseher.
≠ Er kauft <u>ihm</u> einen Fernseher.

§ 11

§ 12   Präpositionalpronomen (Pronominaladverbien)

bei Sachen:
<u>Worüber</u> ärgerst du dich?
Ich ärgere mich <u>über den Film</u>.
Ich ärgere mich <u>darüber</u>.

bei Personen:
<u>Über wen</u> ärgerst du dich?
Ich ärgere mich <u>über den Moderator</u>.
Ich ärgere mich <u>über ihn</u>.

	Fragewort: wo + *Präposition*	*Pronomen* da + *Präposition*		*Präposition + Fragewort*	*Präposition + Pronomen*
für:	wofür?	dafür	für wen?	für ihn / für sie
mit:	womit?	damit?	mit wem?	mit ihm / mit ihr
...				
auf:	worauf?	darauf?	auf wen?	auf ihn / auf sie
über:	worüber?	darüber	über wen?	über ihn / über sie

Verben mit Präpositionalergänzung: siehe §§ 34 und 35.

Relativpronomen   § 13

Nom.	Der Fluss,	der durch den Bodensee fließt,	heißt Rhein.	Der Fluss fließt…
Akk.		den wir einmal gesehen haben,		Den Fluss haben wir…
Dat.		in dem ich geschwommen bin,		In dem Fluss bin ich…
Gen.		dessen Ufer ich so schön finde,		Das Ufer des Flusses…

Relativpronomen   *Zum Vergleich:*
                                           definiter Artikel

	Maskulinum	*Femininum*	*Neutrum*	*Plural*
	Der Fluss,	Die Insel,	Das Gebirge,	Die Städte,
Nominativ	der …	die …	das …	die …
Akkusativ	den …	die …	das …	die …
Dativ	dem …	der …	dem …	denen …
Genitiv	dessen …	deren …	dessen …	deren …

mit Präposition:

	Der Fluss,	Die Insel,	Das Gebirge,	Die Städte,
Akkusativ	durch den …	durch die …	durch das …	durch die …
Dativ	von dem …	von der …	von dem …	von denen …

Ausdrücke mit „es"   § 14

a) es *als Personalpronomen*

Das Klima des Regenwaldes ist heiß und feucht.
Es ist für Pflanzen ideal.
Aber für den Menschen ist es sehr ungesund.

es *ist hier Personalpronomen für* das Klima des Regenwaldes.

b) es *als unpersönliches Pronomen*

in Wetterangaben: *In unpersönlichen Ausdrücken:*

Es regnet.
Es ist heute sehr kalt.
Morgen schneit es vielleicht.

Es stimmt, dass …
Es ist gut/schlecht/schade/…, dass …
Es dauert …
Es gibt …
Es geht.

es *ist hier unpersönliches Pronomen und steht* nicht *für ein Nomen.*

Präpositionen

§ 15 **Kasus bei Präpositionen**

Wechsel-präpositionen		*Präpositionen mit Akkusativ*		*Präpositionen mit Dativ*		*Präpositionen mit Genitiv*	
an	+ *Akk.*	bis	+ *Akk.*	aus	+ *Dativ*	während	+ *Genitiv*
auf	*oder*	durch		außer		wegen	*(in der*
hinter	+ *Dativ*	für		bei			*Umgangs-*
in		gegen		mit			*sprache*
neben		ohne		nach			*auch mit*
über		um		seit			*Dativ)*
unter				von			
vor				zu			
zwischen							

§ 16

§ 17

§ 18

Verb

Präteritum

a) Schwache Verben, Modalverben, unregelmäßige Verben

	sagen	*Trennbare Verben* abholen	*Verbstamm auf -t-/-d-* arbeiten	baden		
ich	sagte	holte … ab	arbeitete	badete	ich	-te
du	sagtest	holtest … ab	arbeitetest	badetest	du	-test
Sie	sagten	holten … ab	arbeiteten	badeten	Sie	-ten
er/sie/es	sagte	holte … ab	arbeitete	badete	er/sie/es	-te
wir	sagten	holten … ab	arbeiteten	badeten	wir	-ten
ihr	sagtet	holtet … ab	arbeitetet	badetet	ihr	-tet
Sie	sagten	holten … ab	arbeiteten	badeten	Sie	-ten
sie	sagten	holten … ab	arbeiteten	badeten	sie	-ten

Modalverben

	wollen	sollen	können	dürfen	müssen
ich	wollte	sollte	konnte	durfte	musste
du	wolltest	solltest	konntest	durftest	musstest
er/sie/es	wollte	sollte	konnte	durfte	musste
wir	wollten	sollten	konnten	durften	mussten
ihr	wolltet	solltet	konntet	durftet	musstet
sie/Sie	wollten	sollten	konnten	durften	mussten

Unregelmäßige Verben

	kennen	denken	bringen	wissen	werden	mögen	haben
ich	kannte	dachte	brachte	wusste	wurde	mochte	hatte
du	kanntest	dachtest	brachtest	wusstest	wurdest	mochtest	hattest
er/sie/es	kannte	dachte	brachte	wusste	wurde	mochte	hatte
wir	kannten	dachten	brachten	wussten	wurden	mochten	hatten
ihr	kanntet	dachtet	brachtet	wusstet	wurdet	mochtet	hattet
sie/Sie	kannten	dachten	brachten	wussten	wurden	mochten	hatten

auch
nennen

b) Starke Verben

	kommen	sein	Trennbare Verben anfangen	Verbstamm auf -t- / -d- tun	stehen
ich	kam	war	fing … an	tat	stand
du	kamst	warst	fingst … an	tatest	standest
Sie	kamen	waren	fingen … an	taten	standen
er/sie/es	kam	war	fing … an	tat	stand
wir	kamen	waren	fingen … an	taten	standen
ihr	kamt	wart	fingt … an	tatet	standet
Sie	kamen	waren	fingen … an	taten	standen
sie	kamen	waren	fingen … an	taten	standen

ich	-
du	-st
Sie	-en
er/sie/es	-
wir	-en
ihr	-t
Sie	-en
sie	-en

Unregelmäßige und starke Verben:

Die Form für das Präteritum finden Sie in der alphabetischen Wortliste auf den Seiten 150 bis 160 vor der Perfektform des Verbs:
kommen *(Dir)* kam, ist gekommen

§ 20 Konjunktiv II

Möglichkeit, Wunsch

Er würde nach Hause kommen.
Er würde gern Theater spielen.
Er würde sie abholen.
Sie wäre glücklich.
Sie hätte keine Probleme.
Sie könnte ihn einladen.

Zum Vergleich:
Präsens: Realität

Er kommt nach Hause.
Er spielt gern Theater.
Er holt sie ab.
Sie ist glücklich.
Sie hat keine Probleme.
Sie kann ihn einladen.

	sein	haben	können	dürfen	müssen	sollen	wollen
ich	wäre	hätte	könnte	dürfte	müsste	sollte	wollte
du	wärst	hättest	könntest	dürftest	müsstest	solltest	wolltest
er/sie/es	wäre	hätte	könnte	dürfte	müsste	sollte	wollte
wir	wären	hätten	könnten	dürften	müssten	sollten	wollten
ihr	wärt	hättet	könntet	dürftet	müsstet	solltet	wolltet
sie/Sie	wären	hätten	könnten	dürften	müssten	sollten	wollten

⚠ *Vgl. Präteritum:*
	war	hatte	konnte	durfte	musste	sollte	wollte
ich							

Andere Verben: würde + *Infinitiv*

	sagen	kommen	abholen
ich	würde ... sagen	würde ... kommen	würde ... abholen
du	würdest ... sagen	würdest ... kommen	würdest ... abholen
er/sie/es	würde ... sagen	würde ... kommen	würde ... abholen
wir	würden ... sagen	würden ... kommen	würden ... abholen
ihr	würdet ... sagen	würdet ... kommen	würdet ... abholen
sie/Sie	würden ... sagen	würden ... kommen	würden ... abholen

Passiv
§ 21

Passiv: werden   +   *Partizip II*   *Zum Vergleich: Aktiv*

Der Motor	wird		geprüft.	Man	prüft	den Motor.
Das Blech	wird	von Robotern	geschnitten.	Roboter	schneiden	das Blech.

Subjekt   *Subjekt*   *Akkusativergänzung*

	Präsens		*Präteritum*	
ich	werde	geholt	wurde	geholt
du	wirst	geholt	wurdest	geholt
er/sie/es	wird	geholt	wurde	geholt
wir	werden	geholt	wurden	geholt
ihr	werdet	geholt	wurdet	geholt
sie/Sie	werden	geholt	wurden	geholt

werden ≠ werden:	Peter wird Lehrer.	werden + *Nomen*
	Der Motor wird lauter.	werden + *Adjektiv*
	Sabine würde kommen, wenn ...	würde + *Infinitiv* = *Konjunktiv II*
	Der Motor wird geprüft.	werden + *Partizip II* = *Passiv*

Satzstrukturen

§ 22 Struktur des Nebensatzes

	Junktor	Vorfeld	Verb$_1$	Subj.	Erg.	Ang.	Ergänzung	Verb$_2$	Verb$_1$ im Nebensatz
Hauptsatz:		Sabine	möchte				Fotomodell	werden,	
Nebensätze:	weil			sie		dann	viel Geld		verdient.
	weil			sie		dann	schöne Kleider	tragen	kann.
	weil			Gabi	ihr		diesen Beruf	empfohlen	hat.

Subjunktor

§ 23 Nebensatz im Vorfeld

	Junktor	Vorfeld	Verb$_1$	Subj.	Erg.	Ang.	Ergänzung	Verb$_2$	Verb$_1$ im Nebensatz
Hauptsatz:		Sabine	will				viel Geld	verdienen.	
Nebensatz:	Weil			sie			viel Geld	verdienen	will,
Hauptsatz:			möchte	sie			Fotomodell	werden.	
Nebensatz:	Obwohl			sie			viel Geld		verdient,
Hauptsatz:			ist	sie			unzufrieden.		

§ 24 Subjunktoren

als	Der Wagen ist schneller, <u>als</u> der Verkäufer gesagt hat.
bevor	<u>Bevor</u> Herr Bauer Rentner wurde, hatte seine Frau ein Auto.
bis	Peter muss noch ein Jahr warten, <u>bis</u> er sein Abitur hat.
damit	Herr Neudel wandert aus, <u>damit</u> die Familie besser leben kann.
dass	Ich weiß, <u>dass</u> dein Mann Helmut heißt.
ob	Er fragt, <u>ob</u> er eine Arbeitserlaubnis braucht.
obwohl	Sie ist zufrieden, <u>obwohl</u> sie nicht viel Geld verdient.
seit	<u>Seit</u> seine Frau tot ist, lebt er ganz allein.
während	<u>Während</u> es in der DDR wirtschaftliche Probleme gab, entwickelte die BRD sich schnell.
weil	Gabi möchte Sportlerin werden, <u>weil</u> sie die Schnellste in der Klasse ist.
wenn	<u>Wenn</u> du mit mir gehen würdest, dann wärst du nicht mehr allein.
wie	Das Auto ist nicht so schnell, <u>wie</u> der Verkäufer gesagt hat.

Nebensatz mit „dass" §25

	Junktor	Vorf.	Verb₁	Subj.	Erg.	Angabe	Ergänzung	Verb₂	Verb₁ im Nebensatz
Hauptsätze:		Ich er	weiß, heißt				Helmut.		
		Ich sie	glaube, hat		ihn	im Urlaub		kennengelernt.	
Nebensätze:			Stimmt	es,				geheiratet	
	(dass)			sie				geheiratet	hat?
		Ich	weiß,						
	(dass)			er			Helmut		heißt.
		Ich	glaube,						
	(dass)			sie	ihn	im Urlaub		kennengelernt	hat.

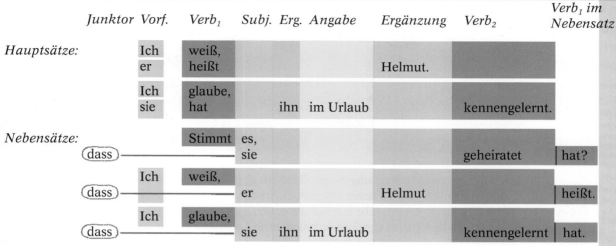

Verben vor einem dass-*Satz oder einem Hauptsatz:*

sagen, gehört haben, meinen, hoffen, finden, wissen,
der Meinung sein, glauben, überzeugt sein,

 Nur vor einem dass-*Satz:*

dafür sein,
dagegen sein

 §26

§ 27 Konjunktoren

Junktor	Vorfeld	Verb₁	Subj.	Erg.	Angabe	Ergänzung	Verb₂
denn	Vera	ist				Psychologin	geworden,
	das	ist				ein schöner Beruf.	
und	Vera	hat				wenig Geld	
	deshalb	wohnt	sie		noch	bei ihren Eltern.	
aber	Vera	sucht			schon zwei Monate,		
	sie	hat				noch keine Stelle	gefunden.

aber	Ich habe zwanzig Bewerbungen geschrieben, <u>aber</u> immer war die Antwort negativ.
denn	Eine Wohnung ist ihr zu teuer, <u>denn</u> vom Arbeitsamt bekommt sie kein Geld.
oder	Manfred kann noch ein Jahr zur Schule gehen, <u>oder</u> er kann eine Lehre machen.
sondern	Manfred studiert nicht, <u>sondern</u> er macht eine Lehre.
und	Man sucht vor allem Leute mit Berufserfahrung, <u>und</u> die habe ich noch nicht.

 Konjunktoren stehen zwischen zwei Hauptsätzen.

§ 28 Übersicht: Verbindung von zwei Sätzen

a) Durch Subjunktoren: Hauptsatz und Nebensatz

Junktor	Vorfeld	Verb₁	Subj.	Angabe	Ergänzung	Verb₂	Verb₁ im Nebensatz
weil	Vom Arbeitsamt	bekommt	sie		kein Geld,		
			sie	noch nie	eine Stelle		hatte.
Obwohl			sie	schon	27 Jahre alt		ist,
		wohnt	sie	immer noch	bei ihren Eltern.		

 Subjunktoren: siehe § 24. Subjunktoren stehen vor einem Nebensatz.

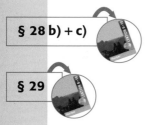

§ 28 b) + c)

§ 29

Infinitivsatz mit „zu" §30

	Vorfeld	Verb₁	Subj.	Erg.	Angabe	Ergänzung	Verb₂
Hauptsätze:	Sie	möchte	sich	nicht		über ihren Mann	ärgern.
	Sie	sollte			weniger		rauchen.
	Sie	möchte					abnehmen.
Infinitivsätze mit zu:	Sie	versucht,					
			sich	nicht		über ihren Mann	zu ärgern.
	Sie	hat				keine Lust,	
					weniger		zu rauchen.
	Sie	hat				keine Zeit	
							abzunehmen.

Verben und Ausdrücke vor
Infinitiv mit zu:

versuchen	(etwas) <u>zu</u> tun
vergessen	
helfen	
Lust haben	
Zeit haben	
…	

 Verben mit trennbarem Verbzusatz:

Infinitiv:	*Partizip Perfekt:*	*Infinitiv mit zu:*
abnehmen	abgenommen	ab<u>zu</u>nehmen
einladen	eingeladen	ein<u>zu</u>laden
…	…	…

 §31

 §32

§33

Verben und Ergänzungen

§ 34 **Verben mit Präpositionalergänzung + Akkusativ**

| An wen?
Woran? | denken
(sich) gewöhnen
glauben | An wen denkt sie?
Woran gewöhnt er sich?
Woran glaubt sie? |

| Auf wen?
Worauf? | aufpassen
sich freuen | Auf wen passt sie auf?
Worauf freut er sich? |

Weitere Verben mit auf + *Akk.:*   hoffen, sich verlassen, sich vorbereiten, warten

| Für wen?
Wofür? | sich entschuldigen
sich interessieren | Wofür hat er sich entschuldigt?
Für wen interessiert sie sich? |

| Was?
Wen? | Für wen?
Wofür? | ausgeben
brauchen | Für wen gibt er was aus?
Wofür braucht sie was? |

| Wem? | Wofür? | danken | Wem dankt er wofür? |

Weitere Verben mit für + *Akk.:*   demonstrieren, gelten, sein, sorgen, sparen, streiken

| Gegen wen?
Wogegen? | demonstrieren
sein
streiken | Wogegen demonstriert er?
Für wen ist das?
Wogegen streikt sie? |

| Über wen?
Worüber? | sich freuen
nachdenken
sprechen | Worüber freut er sich?
Worüber denkt sie nach?
Über wen sprechen sie? |

Weitere Verben mit über + *Akk.:*   sich ärgern, sich aufregen, sich beschweren, diskutieren, sich informieren, klagen, lachen, schimpfen, sich unterhalten, weinen

| Um wen?
Worum? | bitten
sich kümmern
(gehen:) es geht | Worum hat er gebeten?
Um wen will sie sich kümmern?
Worum geht es? |

Verben mit Präpositionalergänzung + Dativ

	Bei wem?	sich entschuldigen	Bei wem entschuldigt sie sich?
Wem?	Wobei?	helfen	Wem hat sie wobei geholfen?
	Mit wem? Womit?	anfangen sprechen	Womit fängt er an? Mit wem hat er gesprochen?
Wen? Was?	Mit wem? Womit?	vergleichen	Wen vergleicht sie mit wem? Was vergleicht er womit?

Weitere Verben mit mit + *Dativ:* aufhören, beginnen, spielen, telefonieren, sich unterhalten

	Nach wem? Wonach?	fragen suchen	Nach wem hat sie gefragt? Wonach sucht er?
	Von wem? Wovon?	erzählen sprechen	Wovon erzählt sie? Von wem spricht er?
Wen?	Vor wem? Wovor?	warnen	Wovor hat sie wen gewarnt?
	Zu wem? Wozu?	gehören	Zu wem gehört er? Wozu gehört das?

LÖSUNGEN

zu Seite 9, Übung 4: 1 Peter, 2 Klaus, 3 Hans, 4 Uta, 5 Brigitte, 6 Eva

zu Seite 9, Übung 5: Peter und Brigitte, Klaus und Uta, Hans und Eva

zu Seite 37, Übung 1: A: Aerobics, 1.50, RTL; B: Pop-Time, 15.55, RTL; C: Abenteuer Mount Everest, 20.15, ARD; D: Bilder aus Österreich, 18.00, 3 Sat; E: Zirkusnummern, 15.00, ZDF; F: Familiengericht, 22.45, RTL

Bildquellenverzeichnis

Hier finden Sie alle Wörter, die in diesem Buch vorkommen, mit Angabe der Seiten. (Den „Lernwortschatz" finden Sie im Arbeitsbuch jeweils auf der ersten Seite der Lektionen.) Einige zusammengesetzte Wörter (Komposita) stehen nur als Teilwörter in der Liste.
Bei Nomen stehen der Artikel und die Pluralform; Nomen ohne Angabe der Pluralform benutzt man nicht im Plural. Die Artikel sind abgekürzt: r = der, e = die, s = das.
Bei Verben stehen Hinweise zu den Ergänzungen und abweichende Konjugationsformen für „er"/„sie"/„es" und das Perfekt.

Abkürzungen:

jmd	=	jemand	*Adj* =	Adjektiv/Adverb als Ergänzung im Nominativ
etw	=	etwas	*Sit* =	Situativergänzung
N	=	Nominativ	*Dir* =	Direktivergänzung
A	=	Akkusativ	*Verb* =	Verbativergänzung
D	=	Dativ		

A

e Abendschule, -n 32
s Abenteuer, - 36, 91
s Abitur 26, 27, 28, 32, 54, 70
ab·melden *sich$_A$/jmd$_A$* *(von etw$_D$)* 54
ab·nehmen nimmt ab, nahm ab, hat abgenommen 60
s Abonnement, -s 66
e Abrechnung, -en 57
r Abschluss, ¨e 26, 27, 63
e Abschlussprüfung, -en 32
s Abschlusszeugnis, -se 28
r Abschnitt, -e 27
e Abteilung, -en 53
r Abzug, ¨e 57
ach 15, 34, 42, 46
s Aerobic 36
aggressiv 61
r Akademiker, - 28, 29, 30
aktiv 52, 60, 111
aktuell 36, 100
all- 39, 44
alleine 66
e Allergie, -n 24, 25, 84
allgemein 32
r Alltag 43
r Alltagstrott 43
als 9, 23, 24, 30, 70
s Alter 16, 55, 112
älter- 43

s Altersheim, -e 68, 110, 119
amerikanisch 38, 90
s Amt, ¨er 44, 54, 86
e Anatomie 36, 38
an·bieten *jmd$_D$ etw$_A$* bot an, hat angeboten 29
ändern *etw$_A$* 19
r Anfang, ¨e 63
an·geben *etw$_A$* gibt an, gab an, hat angegeben 33
s Angebot, -e 33
angenehm 16, 31, 84
e/r Angestellte (ein Angestellter), -n 17, 54, 63, 91, 99
an·hören *sich$_D$ etw$_A$* 44
an·melden *sich$_A$/jmd$_A$* *(Sit)* 54
r Anrufer, - 40
an·schaffen *etw$_A$* 63
e Anschaffung, -en 63
anstrengend 24, 25, 54, 114
r Anzug, ¨e 14, 15, 86, 87
r Arbeiter, - 52
r Arbeitgeber, - 17, 18
r Arbeitnehmer, - 54, 98
r Arbeitnehmeranteil, -e 57
s Arbeitsamt, ¨er 17, 18, 19, 29, 30
arbeitslos 17, 29, 30, 34
e/r Arbeitslose (ein Arbeitsloser), -n 17, 39
s Arbeitslosengeld 17
r Arbeitsmarkt 33
ärgerlich 66

ärgern *sich$_A$ über etw$_A$/jmd$_A$* 17, 39, 43, 61, 66, 71
s Argument, -e 19
r Asphalt 43
e Asphaltkarriere 43
e Asphaltkunst 43
r Astronaut, -en 23
e Atmosphäre 31, 112
attraktiv 8, 11, 94
auf jeden/keinen Fall 33
auf·bleiben blieb auf, ist aufgeblieben 65
e Aufgabe, -n 32, 82, 102
s Aufgabenfeld, -er 27
auf·regen *sich$_A$ über etw$_A$* 39, 43, 44, 65, 71, 114
r Auftrag, ¨e 51
e Auftragsbestätigung, -en 51
r Augenblick, -e 24
aus·bauen *etw$_A$* 51
e Ausbildung, -en 21, 24
e Ausgabe, -n 57
ausgerechnet 44, 96
ausgezeichnet 31
aus·halten *etw$_A$* hält aus, hielt aus, hat ausgehalten 44, 127
aus·packen *etw$_A$* 43
aus·ruhen *sich$_A$ (von etw$_D$)* 43
e Aussage, -n 27, 119
s Aussehen 17, 19
aus·suchen *(sich$_D$) etw$_A$* 27, 119
e/r Auszubildende (ein Auszubildender), -n 63

s Autohaus, ¨er 53
r Automatenbau 31
automatisch 52
r Automechaniker, - 30, 54
e Automechanikerin, -nen 54

B

s Baby, -s 63, 100, 121
r Bach, ¨e 36
baldig- 32
e Ballerina, Ballerinen 23
s Ballett 35
r Bart, ¨e 43
r Bauernhof, ¨e 24, 25, 125, 126, 127
r Baum, ¨e 41, 74, 75, 122, 123
r Bausparvertrag, ¨e 57
e Beamtin, -nen 63
bedeuten *etw$_A$* 41, 91, 119, 128
befragen *jmd$_A$ (über etw$_A$)* 33
beginnen (mit *etw$_A$*) begann, hat begonnen 29, 38, 43, 52, 95
behutsam 41
e Bemerkung, -en 27
benutzen *etw$_A$* 42, 74, 82
r Berater, - 62
r Bergsteiger, - 36
beruflich 63
e Berufsausbildung 54
e Berufsschule, -n 26

e Berufswahl 33
bescheiden 12
beschweren *sich_A* (*über etw_A*) 43, 51, 88, 93, 110
besetzt 34, 62
bestimmen *über etw_A* 24, 75, 91, 102, 104
r Betreuer, - 27
r Betrieb, -e 31, 66
s Betriebsklima 31
bewegen *etw_A* 34
e Bewegung, -en 34
bewerben *sich_A um etw_A* (Sit) bewirbt, bewarb, hat beworben 31, 32
e Bewerbung, -en 29, 30, 31, 32
r Bewohner, - 38, 112
e Bezeichnung, -en 54
bilden *etw_A* 62, 101
e Bildung 37
e Biologie 27
bitten *jmd_A um etw_A* bat, hat gebeten 40, 127
s Blech, -e 52, 53, 81
bleiben *bei etw_A* blieb, ist geblieben 42
blond 7, 8, 12, 13, 15
r Blues 42
e Bluse, -n 7, 13, 15
r Boxer, - 23
braun 10, 11, 13
e Bremsbacke, -n 51
e Bremse, -n 49, 86
s Bremslicht, -er 49, 53
r Bruder, ⁓ 15, 24, 25, 28, 61, 71
brutto 33, 54, 55, 56
r Bruttolohn, ⁓e 57
r Bundeskanzler, - 22, 97, 101, 102, 103, 104, 105
e Bundesliga 39
r Bürokaufmann, Bürokaufleute 24, 25, 63, 66

C

ca. 31
e Chefsekretärin, -nen 31, 32, 33
r Chor, ⁓e 36
r Clown, -s 9
Co. 31, 32
r Cousin, -s 71
e Cousine, -n 71
r Cowboy, -s 23

D

dafür 17, 28, 39, 55
dafür sein 64, 89
dagegen sein 64, 89
damals 60, 106, 116
e Dame, -n 32, 44, 118, 119
damit 38, 81, 101, 105, 114
danken *jmd_D* (*für etw_A*) 51, 110
dass 41
dauernd 61, 62
deutlich 20, 69, 93
e/r Deutsche (ein Deutscher), -n 38, 39, 78, 79
Deutschland 27, 31, 36, 67, 75, 78, 99
dezent 13
r Dieb, -e 38
dienstags 56
dies- 16, 17, 22, 25, 28, 39, 43
Diesel 54
s Diplom, -e 30
e Disco, -s 42, 120
e Diskussion, -en 18, 95, 101
e Doktorarbeit, -en 29
r Doktortitel, - 29
r Dokumentarfilm, -e 36
e Dolmetscherin, -nen 22, 32
s Dolmetscherinstitut, -e 32
doof 61
dreieinhalb 54
dringend 31, 44
dritt- 38
droben 41
drücken *auf etw_A* 58
dumm 8, 11, 12, 28, 42, 61
durchschnittlich 48
e Durchschnittsfamilie, -n 57
duschen *sich_A* 62
dynamisch 31

E

e Ehe, -n 63, 64, 70, 110, 117, 118
e Ehefrau, -en 64
Eheleute (Plural) 55
ehemalig 38
r Ehemann, ⁓er 11

ehrgeizig 38
ehrlich gesagt 20, 46
e Eifersuchtstragödie, -n 38
ein·bauen *etw_A* 51
r Eingang, ⁓e 44, 45
einige 40, 43, 54, 93, 95, 106
einigen *sich_A auf etw_A* 44, 63, 89
ein·stellen *jmd_A* 51
einverstanden 19, 20, 38, 89, 101
elegant 11
e Elektronik 31
elektronisch 44
s Elternhaus 68
s Englisch 27, 31, 32
r Enkel, - 59, 71
e Enkelin, -nen 59, 71
s Enkelkind, -er 68
entweder ... oder ... 65, 66, 88
e Erdkunde 27
e Erfahrung, -en 29, 30, 31, 91, 124
r Erfolg, -e 54, 82, 91, 128
s Ergebnis, -se 16, 37
erhalten *etw_A* erhält, erhielt, hat erhalten 27
e Erlaubnis 27, 40, 127
ermorden *jmd_A* 38
im Ernst 72
erschießen *jmd_A* erschoss, hat erschossen 38, 42
erst- 32, 76
erst mal 66
erwachsen 40, 128
e Erziehung 69, 71
s Essensgeld 57
es stimmt 72
e Ethik 27
s Europa 36, 54
europäisch 36
evangelisch 57, 112
s Examen, - 29, 30
e Expedition, -en 39
explosiv 36
r Exportkaufmann, -kaufleute 32
extra 36, 51, 55, 114

F

Fa. = e Firma, Firmen 32
e Fabrik, -en 54, 99
r Facharbeiter, - 55

s Fachgymnasium, -gymnasien 26
e Fachhochschule, -n 26
e Fachoberschule, -n 26
e Fachschule, -n 26
r Fahrer, - 50, 98
s Fahrgeld 57
r Fahrlehrer, - 40, 47, 54, 63
e Fahrlehrerin, -nen 54
s Fahrlicht 49, 50
e Fahrschule, -n 47
r Fahrschüler, - 54
Fakten (Plural) 36
r Fall, ⁓e 33, 36, 38
e Falle, -n 38
fangen *etw_A* fängt, fing, hat gefangen 38
fehlend- 9
e Feiertagsarbeit 57
fein 41
r Feind, -e 12
feucht 43, 74, 75
r Feuerwehrmann, -leute 55
r Finger, - 43, 126
flirten *mit jmd_D* 61, 62
formen *etw_A* 53
e Forschung, -en 33
e Fortsetzung, -en 38
s Fotomodell, -e 9, 22, 23
s Fragespiel, -e 71
Frankreich 40
e Freude, -n 41, 128
freundlich 8, 11, 32
r Friseursalon, -s 24
e Frisur, -en 13, 17, 18, 19
früher- 17
e Frühschicht 55
fühlen *sich_A Adv* 69, 110, 114, 118
führen *Prozess* 17
funkeln 41
e Fußgängerzone, -n 43, 44, 45

G

r Gangster, - 36
r Ganove, -n 36
gar 24, 44, 45, 46, 83
s Gas, -e 54, 58, 86
Gas geben 58
s Gaspedal, -e 58
geb. = geborene ... 32, 64
geben: es gibt 27, 37, 66
s Gedächtnis 9

e Geduld 54
geehrt- 32, 44
e Gefahr, -en 38, 81, 100
s Gehalt, ¨er 31, 55, 57,
 101
r Geheimagent, -en 36
gelb 11, 13, 14, 17
genauso 45, 63, 70, 95
e Generation, -en 68
genießen etw_A genoss,
 hat genossen 63
s Gerät, -e 57
geraten in Gefahr gerät,
 geriet, ist geraten 38
s Gericht, -e 36, 38, 126
e Germanistik 29, 94
e Gesamtschule, -n 26,
 27, 28
s Geschäft, -e 54
Geschäfts- 31, 44, 87, 91
r Geschäftsverkehr 45
geschehen geschieht,
 geschah, ist geschehen
 36, 38
e Geschwindigkeit, -en
 48
gesellschaftswissen-
 schaftlich 27
s Gesetz, -e 68, 91, 95,
 99
s Gesicht, -er 10, 11, 13,
 126
s Gewicht, -e 48
e Gewinnshow, -s 36
gewiss 20, 41, 84
gewöhnlich 43, 69, 70,
 71, 115
gibt 33, 36, 40
r Gipfel, - 41
gleich sein jmd_D 18
gleich- 27
r Glückwunsch, ¨e 39
e Glühbirne, -n 54
golden 41, 109, 116
e Goldmedaille, -n 22
Griechisch 27
Großeltern (Plural) 67,
 110, 111
größer 48
e Großmutter, ¨er 59, 71,
 115, 119
r Großvater, ¨ 59, 71, 115
r Grundkurs, -e 27
e Grundschule, -n 26,
 27, 32
e Gruppenarbeit 37, 112
gutbürgerlich 68
s Gymnasium, Gymnasien
 26, 32, 70

s Haar, -e 13, 15, 17
s Haarspray, -s 24
Halbjahresleistungen
 (Plural) 27
hallo 36
e Handbremse, -n 51
hängen etw_A (Dir) 62
hassen jmd_A 61
r Hauptsatz, ¨e 28, 64
e Hauptschule, -n 26, 27,
 54
r Hausbote, -n 34
e Haushaltsführung 57
e Haushaltskasse, -n 57
e Hauswirtschaft 27
helllicht- 36, 38
s Hemd, -en 7, 14, 15,
 86
e Hexe, -n 24, 70
hiermit 32
r Himmel 41
hinten 51
e Hitliste, -n 39
r Hochschulabsolvent, -en
 29
e Hochschule, -n 26
e Hochzeit, -en 14, 36,
 59, 64, 116, 121, 125
hoffen etw_A 63, 95, 101
höflich 61
hübsch 7, 8, 12
r Humor 61
r Hut, ¨e 7, 41, 43

r Igel, - 41
imaginär 43
imitieren jmd_A/etw_A 36
r Import, -e 32
inkl. 48
e Industrie- und
 Handelskammer, -n 32
Inh. = r Inhaber, - 44
s Inland 31
insgesamt 57, 84
s Institut, -e 32, 33
intelligent 8, 11, 12, 61,
 70
intensiv 56
interessieren sich_A für
 jmd_A/etw_A 20, 43, 39,
 51, 71
inzwischen 34, 119
r Irokese, -n 17

e Jacke, -n 13
e Jahrgangsstufe, -n 27
-jährig 43, 113
jawohl 72
r Jazz 42
je 33
jedenfalls 72
jetzig- 32
r Job, -s 17, 55, 90, 91
s Journal, -e 36, 90
e Jugend 39, 69, 70, 71,
 125
jung 8, 12, 17, 24, 38, 44,
 63, 111

kämpfen 29
e Kantine, -n 31
kaputt fahren etw_A fährt
 k., fuhr k., hat
 kaputt gefahren 40
e Karosserie, -n 52, 53
e Karriere, -n 12, 31, 33,
 63, 91, 93
e Kasse, -n 54, 98
r Kasten, ¨ 40
e Kategorie, -n 39
katholisch 57
r Käufer, - 52
s Kaufhaus, ¨er 45, 55
kaum 44, 93, 126
r Kavalierstart 58
e Kfz-Meisterin, -nen 54
e KG = Kommanditge-
 sellschaft, -en 31
Kinderchen (Plural) 34
s Kindermädchen, - 68
r Kindesmord, -e 38
e Kindheit 68, 70, 125,
 128
e Kirchensteuer, -n 57
e Klasse, -n 22, 57
r Klassenleiter, - 27
e Klassik 42
r Klassiker, - 38
s Kleidungsstück, -e 14
klemmen 50
klug 12
r Kofferraum, ¨e 47, 48
r Kollege, -n 12, 17, 31,
 43, 61, 93, 101, 128
e Kollegstufe 27
e Komödie, -n 36, 39
kompliziert 53, 124
r Kompromiss, -e 40
r Konjunktiv 40, 41

r Konkurrent, -en 48
e Konkurrenz 54
r Konkurrenzkampf, ¨e
 29, 30
konservativ 13, 103
r Kontakt, -e 31, 91, 92,
 105, 112
e Kontaktlinse, -n 13
Kontonr. = e Konto-
 nummer, -n 57
r Konzertsaal, -säle 45
Kosten (Plural) 48, 112,
 113
r Kraftfahrer, - 54
e Kraftfahrerin, -nen 54
s Kraftfahrzeug, -e 54
r Krämer, - 66
e Krawatte, -n 14
r Kredit, -e 54, 57
r Krieg, -e 69
r Krimi, -s 35, 39
r Kriminalfilm, -e 36, 37,
 38
kritisch 70
kritisieren jmd_A/etw_A
 16, 18, 19, 61, 62, 71,
 92, 101
krumm 20
e Kultur 36, 37
kümmern sich_A um
 jmd_A/etw_A 67, 70, 94
e Kunst, ¨e 39, 121
e Kunsterziehung 27
künstlerisch 27
r Kursteilnehmer, - 64
e Kurzschrift, -en 27
küssen jmd_A 41, 59

lackieren etw_A 52
r Laden, ¨ 44, 99
e Ladenpassage, -n 43
e Ladentür, -en 44
e Landschaft, -en 36, 74,
 78, 79
r Landstreicher, - 38
r Landwirt, -e 24, 25
e Länge, -n 48, 81
langhaarig 8
langjährig- 55
längst- 48, 84
langweilen sich_A/jmd_A
 69
langweilig 8, 12, 39, 60,
 94, 107
r Lastwagen, - 52, 98
s Latein 27

e Laune, -n 61, 66
r Lautsprecher, - 44
lauwarm 72
Lebensfragen (Plural) 40
e Lebensgefahr, -en 38
r Lebenslauf, ⸚e 32
e Lebensversicherung, -en 57
e Lehre, -n 21, 26, 27, 28, 30
lehren jmd_A etw_A 54
e Lehrstelle, -n 30, 92
e Leiche, -n 38
leid sein etw_A 34
leiden können jmd_A Adv 61
leisten etw_A 55
e Leistung, -en 18, 19, 27, 48
r Leistungskurs, -e 27
e Leser-Umfrage, -n 24
r Leserbrief, -e 39
e Leserin, -nen 13
e Liebe 16, 36, 64, 117, 120
s Liebespaar, -e 16
liebst- 38
am liebsten 76, 92
s Lied, -er 40, 41, 42, 44, 123
r Liedtext, -e 41
literarisch 27
e Literatur, -en 39
locken jmd_A Dir 38
r Lohn, ⸚e 57, 93, 98
e Lohnabrechnung, -en 57
e Lohnsteuer, -n 57
lösen ein Problem 31
r Löwe, -n 22, 96
lügen log, hat gelogen 18, 51, 71

M

s Magazin, -e 36
s Make-up, -s 13
manch- 16, 24, 27, 44, 84
s Märchen, - 41, 110
s Maschinenschreiben 27
s Material, -ien 52
e Mathematik 27
mathematisch 27
r Mediziner, - 55
mehr 13, 20, 24, 29, 32, 41
e Mehrarbeit 57
mehrer- 31, 52, 54

mein- 12
meinetwegen 18, 89
mein Lieber 72
e Meinung, -en 13, 17, 44, 63, 101, 107
r Meister, - 66
s Meisterwerk, -e 36
s Menü, -s 66, 124
mexikanisch 36
r Millionär, -e 39
mindestens 28
Mini- 36, 48
r Mist 58
e Mistkarre, -n 58
mit·gehen (mit jmd_D) ging mit, ist mitgegangen 71
mittler- 17
e mittlere Reife 26
s Modalverb, -en 25
s Modell, -e 48
r Modelldialog, -e 64
r Moderator, -en 39
r Modetipp, -s 13
modisch 13
möglich 44, 106
monatlich 57
s Monatsgehalt, ⸚er 31, 33, 55, 57
r Mond, -e 41
e Montage 52, 53
montags 56
r Mord, -e 38
r Mörder, - 38
e Mordserie, -n 38
r Motor, -en 47, 86
e Motorleistung, -en 48, 51
r Musikant, -en 43, 45
r Musiker, - 44, 45
e Musikgruppe, -n 44
e Musiksendung, -en 39
r Musikterror 44
s Muster, - 64
r Mut 13, 91
Mwst. = e Mehrwertsteuer 48

N

na 20, 34, 50, 58, 64
nachher 13
e Nachricht, -en 35, 40, 65, 98, 106
nächsthöher- 27
e Nachtarbeit 55, 56
r Nachteil, -e 28, 33, 48, 56, 111

e Nachtschicht, -en 55, 56
r Nachtwächter, - 22, 23
nämlich 46, 81
nass 58, 74, 127
naturwissenschaftlich 27
r Neffe, -n 71
negativ 30
r Nerv, -en 54
e Nervosität 55
neugierig 38, 61
e Nichte, -n 71
r Nichtmacher, - 46
nichts können für etw_A 20
r Nichtstuer, - 43
s Normalbenzin 48
e Note, -n 32, 36
notwendig 34, 89, 101
nun 34, 58
nützen (jmd_D) etw_A 33, 44

O

ob 41
obwohl 24, 29, 40, 55, 63
offen 16, 91, 93, 126
offenlassen etw_A lässt offen, ließ offen, hat offengelassen 44
öffentlich 44, 82
öffnen etw_A 54, 105, 106
öfter 67, 78, 84
e Ohrfeige, -n 68, 70
r Onkel, - 71
r Opa, -s 71, 110
s Opfer, - 38
e Ordnung 44
oval 10

P

s Paar, -e 63, 67, 116, 118
paar 38, 55, 75, 91
e Panne, -n 47, 49
s Panorama, Panoramen 36
s Pantomimen-Spiel 43
r Pantomimenkurs, -e 44
e Pantomimin, -nen 43
r Papierkorb, ⸚e 43
e Parodie, -n 38
e Partnerarbeit 56
r Passant, -en 45

passend 38
per 38
s Personal 32, 57
persönlich 40, 57, 78
e Persönlichkeit, -en 31
r Pfarrer, - 9
r Pfennig, -e 43
pflegen jmd_A 54, 109
e Pflegeversicherung, -en 57, 112
s Pflichtfach, ⸚er 27
e Physik 27
e Pistole, -n 38
plus 36, 55, 92
politisch 36, 39, 42, 95, 101, 102, 105
r Pop 36
r Popsänger, - 23
s Postfach, ⸚er 31, 79
e Praxis 24, 36
preiswert 48
pressen etw_A 52
e Presseschau, -en 36
s Prestige 33
r Privatlehrer, - 68
r Problemfilm, -e 39
s Programm, -e 37, 39, 65
e Programmvorschau, -en 36
promovieren 34
r Prospekt, -e 49
s Prozent, -e 63, 78, 81
r Prozess, -e 17
prüfen etw_A 32, 50, 86, 87
s PS = e Pferdestärke 48
r Psychiater, - 40
r Psycho-Test, -s 16
e Psychologe, -n 55
e Psychologie 29
e Psychologin, -nen 29, 40
r Punk, -s 17, 18, 19
r Punkt, -e 16
pünktlich 16, 54, 60
e Pünktlichkeit 60
e Punktzahl, -en 27

Q

e Qualität, -en 45

R

raten jmd_D etw_A rät, riet, hat geraten 40
r Ratgeber, - 39
r Rathausmarkt 43

r Realschulabschluss, ⸚e
27, 28, 30, 32
e Realschule, -n 26, 27,
28
r Realschüler, - 28
s Rechnungswesen 27
s Recht, -e 44
recht 19, 51, 70, 127
r Rechtsanwalt, ⸚e 17
e Rechtslehre 27
reden 20, 44, 61, 116
regelmäßig 43, 57, 71
Regional- 36, 39, 103
r Reifen, - 47, 49, 53
e Reihenfolge 52, 83
e Religion, -en 27, 39
e Religionslehre 27
r Rennfahrer, - 23
e Rente, -n 31
e Rentenversicherung, -en
57, 113
e Reparatur, -en 47, 48,
51
e Reportage, -n 36, 91,
92
r Revolver, - 36
r Rhythmus, Rhythmen
42
riskant 36, 38
r Roboter, - 52, 53
r Rock 36, 42
r Rock, ⸚e 7, 13, 14,
15
s Rollenspiel, -e 28
e Rose, -n 36
r Rost 52
rothaarig 12
RTL 36
rund 10, 13, 54, 126

S

sabotieren *etw*A 17
sammeln *etw*A 43, 81
samstags 33, 45
e Samstagsarbeit 57
e Sauce 65
s Schäfchen, - 41, 120
schaffen *etw*A 29, 91,
107
schätzen *etw*A 29
r Scheibenwischer, - 49
scheinbar 38
e Schicht, -en 55
r Schichtzuschlag, ⸚e 55
schief 20
schimpfen 65, 66, 126
schlafen gehen 71

e Schlafstörung, -en 55
r Schlager, - 42
schließlich 20, 69, 88, 91,
104, 118
schlimm 28, 44, 56, 72
schmutzig 24, 30, 54
r Schnellkurs, -e 43
e Schreibmaschine, -n 31
r Schulabschluss, ⸚e 28
e Schuld, -en 20, 101
s Schulfach, ⸚er 27
s Schuljahr, -e 26, 27, 28
r Schulleiter, - 27
s Schulsystem, -e 26, 27
e Schulzeit 69
schützen 52
schwach 48, 70, 75
r Schwager, ⸚ 71
e Schwägerin, -nen 71
schwarzhaarig 7, 8
schweißen *etw*A 52, 53
e Schweiz 36, 38
r Schweizer, - 36, 86
schwermachen 17
schwierig 36, 90, 111,
117, 124
s Seitenteil, -e 52
selbstständig 24, 31, 54,
69, 91, 104
e/r Selbstständige (ein
Selbstständiger), -n 54
selten 12, 33, 43, 61, 75,
114
s Semester, - 29, 34
e Sendezeit, -en 39
e Sendung, -en 36, 37,
39
e Serie, -n 36, 37, 125
servieren *etw*A 38
setzen *sich*A *(Dir)* 65,
116, 128
e Show, -s 36, 39
r Showladen, ⸚ 36
e Sicherheit 33, 93, 112
siehe 36
singen *(etw*A*)* sang, hat
gesungen 36, 42, 71,
116
r Sinn 41
e Situation, -en 38
solch- 43
r Solidaritätszuschlag, ⸚e
57
r Sonnenschein 41
sonst 18, 29, 50, 56, 75,
95
sonstiges 57
e Sorge, -n 12, 93

sorgen *für jmd*A*/etw*A
55, 105
e Soße, -n 65
sowieso 45, 127
e Sozialkunde 27
Sozialleistungen (Plural)
31
s Sozialwesen 27
sparen 62, 101, 114
e Spezialität, -en 44
r Spielfilm, -e 35, 37, 38,
65
e Spielshow, -s 36
sportlich 11, 13
s Sprachinstitut, -e 32
Sprachkenntnisse (Plural)
31, 90
sprachlich 27
s Sprachpraktikum,
-praktika 32
spritzen *etw*A 52
r Spruch, ⸚e 12
staatlich 27, 54
s Stadion, Stadien 64, 98
städt. = städtisch 27
e Stadtsparkasse, -n 57
e Stammkneipe, -n 66
stecken Sit 16
stehen *jmd*D stand, hat
gestanden 13
stehen bleiben blieb
stehen, ist stehen
geblieben 43
e Stelle, -n 17, 24, 28, 34,
54, 84, 90
stellen *eine Frage* 56, 90
s Stellenangebot, -e 17,
31
e Stellensuche 17, 29
r Sterntaler, - 36
e Steuer, -n 48, 95, 101
e Stewardess, -en 21, 23,
38
s Stichwort, ⸚er 56, 66,
118
streiten *sich*A *(mit jmd*D*)*
stritt, hat gestritten 59,
62, 118
streng 67, 70
r Strumpf, ⸚e 7, 13
s Studio, -s 36
r Stundenlohn, ⸚e 55
e Summe, -n 57
Super 47
s Superbenzin 48
sympathisch 8, 13, 31
e Szene, -n 36

T

e Tagesschau 36
Tagesthemen (Plural) 36
e Talkshow, -s 36, 39
r Tank, -s 51
tanken 51, 86
r Tankwart, -e 51, 54
e Tankwartin, -nen 54
r Tatort, -e 36, 38
e Tatsache, -n 72
tatsächlich 46
e Tatwaffe, -n 38
s Taxi, -s 56
r Taxifahrer, - 24, 56, 92
s Team, -s 31
s Technische Zeichnen
27
r Techno 42
s Teil, -e 10, 52, 53
e Teilnahme 27
e Tele-Illustrierte, -n 36
e Telefonrechnung, -en
62
e Telefonzentrale, -n 34
s Temperament, -e 12
r Tennisplatz, ⸚e 31
testen *etw*A 48, 54
e Textilarbeit, -en 27
s Theaterstück, -e 35
e Theke, -n 44
e Tochter, ⸚ 16, 38, 55,
70, 110
toll 24, 65, 66
tot 38, 64, 84, 110, 111
e/r Tote (ein Toter), -n
38
töten *jmd*A 64
e Tragödie, -n 38
r Traumberuf, -e 25
r Traumjob, -s 29
traurig 7, 41, 45, 106,
110
treiben *Sport* trieb, hat
getrieben 71
trennen *sich*A *(von jmd*D*)*
54, 81
treu 12
e Trickfilmschau 36
r Typ, -en 16, 17, 38, 48

U

e U-Bahn, -en 64
überfahren *jmd*A */ etw*A
überfährt, überfuhr, hat
überfahren 38
e Überstunde, -n 55
e Überweisung, -en 57

überwiegend 57
überzeugt 51, 64
e Umfrage, -n 33
r Umschlag, ⸚e 43
r Umweg, -e 34
r Unfall, ⸚e 47
r Unfallwagen, - 49
unfreundlich 60, 92
ungewöhnlich 34, 36, 116
s Unglück, -e 38
unglücklich 38, 40, 110
unhöflich 61
e Uni, -s 29
uninteressant 39
e Unordnung 65, 66
unregelmäßig 54
unruhig 43, 60, 123
uns 64
unsportlich 11
unsympathisch 8, 33
unterhalten *sich_A mit jmd_D über etw_A* unterhält, unterhielt, hat unterhalten 42, 61, 65, 71, 111
e Unterhaltung 36, 39
s Unternehmen, - 31
unterschiedlich 54, 56
unterstreichen *etw_A* unterstrich, hat unterstrichen 11
e Untersuchung, -en 38, 63
unverheiratet 67
unwichtig 33, 70, 89
unzufrieden 24, 25, 62
e Urgroßmutter, ⸚ 68, 70, 71
r Urgroßvater, ⸚ 71
s Urlaubsgeld 31, 55, 57
usw. 52, 57

V

r Vagabund, -en 43
r Verbrauch 48, 50
verbrauchen *etw_A* 49
verbringen *Zeit mit jmd_D* verbrachte, hat verbracht 66
verdammt 58
r Verdiener, - 57
s Verdienst 33, 54

r Verkaufsdirektor, -en 31
s Verkehrsmittel, - 57
e Verkehrsregel, -n 54
e Verlagskauffrau, -en 63
verlangen *etw_A* 18, 55, 101
verlieben *sich_A (in jmd_A)* 42, 59, 91, 118
verloben *sich_A (mit jmd_D)* 64, 117, 118
e/r Verlobte (ein Verlobter), -n 64
e Vermögensbildung 57
verschieden- 28, 76, 78, 94
e Versicherung, -en 48, 57, 86, 90
e Versicherungspolice, -n 54
versorgen 54, 112, 113
versprechen *(jmd_D) etw_A* verspricht, versprach, hat versprochen 31, 50, 116
r Verstärker, - 44
verstecken *etw_A (Sit)* 38, 91, 127
versuchen *etw_A* 50, 60, 61, 62, 71, 91
r Verteiler, - 58
e Verzeihung 51
viele 17, 24, 30, 43, 67
Vielen Dank! 50
vierköpfig 57
s Viertel, - 36
e Volksmusik 42
voll- 12
vollmachen *etw_A* 51
vorbereiten *sich_A/jmd_A auf etw_A* 54
vorhin 72
vormittags 55
vorne 50
vorrücken 27
e Vorsicht 58
vor·stellen *sich_D etw_A* Adj 9, 112, 127
e Vorstellung, -en 43
r Vorteil, -e 28, 33, 48, 56, 111
s Vorurteil, -e 12, 16, 64
vorwärts 31

s Wahlpflichtfach, ⸚er 27
r Wahlunterricht 27
e Wahrheit, -en 20
wahrscheinlich 46, 101
s Warenlager, - 54
warnen *jmd_A vor etw_D* 55
r Weg, -e 38, 89, 105, 122
weg·gehen ging weg, ist weggegangen 65, 66, 71
weich 13, 122
Weihnachtsferien (Plural) 38
weil 23, 28, 32, 42, 65
weinen 43, 65, 127
weit 42, 122
weiter- 9, 29, 51, 55, 87, 111
wenige 43, 67, 75, 78, 105, 116
e Werbung 36
werden wird, wurde, ist geworden / ist worden (Passiv) 22, 29, 40, 43, 52
s Werken 27
r Wertverlust, -e 48
wetten 39
s Wetter 36, 40, 43, 73, 75, 76, 78
e Wiederholung, -en 36
wieder·kommen 17
wild 36
wirken 13
e Wirklichkeit, -en 19
e Wirtschaft 29, 39, 78, 98, 100, 101, 104, 105
e Wirtschaftslehre 27
s Wirtschaftstelegramm, -e 36
e Wissenschaft, -en 39
woanders 45
wohlfühlen *sich_A (Sit)* 65
s Wörterverzeichnis, -se 42
wünschen *sich_D etw_A (von jmd_D)* 51, 110, 111
e Wunschliste, -n 33
würd- 32, 40, 42

Z

zahlen *etw_A* 18, 19
r Zahnarzt, ⸚e 21
z. B. 54
s ZDF 36
r Zeichentrickfilm, -e 36
e Zeichentrickserie, -n 36
r Zeitraum, ⸚e 57
e Zeitschrift, -en 54, 128
r Zeitungsartikel, - 56, 119
s Zeugnis, -se 27, 91
e Zeugnisnote, -n 27
ziehen *von Stadt zu Stadt* zog, ist gezogen 43, 119
r Zirkus, -se 36
e Zirkusnummer, -n 36
r Zoodirektor, -en 22
s Zubehör 54
r Zubehörhandel 54
r Zug, ⸚e 52, 87
zu·geben *etw_A* gibt zu, gab zu, hat zugegeben 72
e Zukunft 29, 31, 39, 46, 95, 107, 113
e Zukunftsangst, ⸚e 29, 30
zuletzt 36, 52
e Zündkerze, -n 58
zurück·denken *an etw_A* dachte zurück, hat zurückgedacht 68
zusammen·schweißen *etw_A* 52
zusammen·setzen *etw_A* 52, 101
zusammen·stellen *etw_A* 37, 128
r Zuschauer, - 39, 43
r Zuschlag, ⸚e 57
zuvor 34
zu wenig 13, 107
zwei 34
zweimal 66
zweit- 31
zz. = zurzeit 29, 64

W

Themen 2
aktuell

Arbeitsbuch

LEKTION 1–5

Inhalt

Quellenverzeichnis

Seite 8:   oben, unten rechts: Deutsches Filminstitut, Frankfurt; unten links: dpa
Seite 42:   Zeichnung: Joachim Schuster
Seite 52:   Gerd Pfeiffer, München

Wir haben uns bemüht, alle Inhaber von Bildrechten ausfindig zu machen. Sollten Rechteinhaber hier nicht
aufgeführt sein, so wäre der Verlag für entsprechende Hinweise dankbar.

Vorwort

In diesem Arbeitsbuch zu „Themen aktuell 2" werden die wichtigen Redemittel jeder Lektion einzeln herausgehoben und ihre Bildung und ihr Gebrauch geübt. Alle Übungen sind einzelnen Lernschritten im Kursbuch zugeordnet.

Jeder Lektion ist eine Übersicht über den Wortschatz und die Grammatikstrukturen vorangestellt, die in der betreffenden Lektion gelernt werden. In die Wortschatzliste sind auch Wörter aufgenommen, die schon in „Themen aktuell 1" eingeführt wurden und in diesem Band wiederholt werden. Die Übersichten sind sowohl eine Orientierungshilfe für die Kursleiterin oder den Kursleiter als auch eine Möglichkeit der Selbstkontrolle für die Lernenden: Nach Durchnahme der Lektion sollte ihnen kein Eintrag in der Wortliste und der Zusammenstellung der Grammatikstrukturen mehr unbekannt sein. Die Autoren empfehlen nicht, diese Liste als solche auswendig zu lernen – das Durcharbeiten der Übungen, auch mehrfach, setzt einen effizienteren Lernprozess in Gang.

Zu den meisten Übungen gibt es im Schlüssel eine Lösung. Dies ermöglicht es den Lernenden, selbstständig zu arbeiten und sich selbst zu korrigieren. Zusammen mit dem Kursbuch und evtl. einem Glossar kann dieses Arbeitsbuch dazu dienen, versäumte Stunden selbstständig nachzuholen.

Die Übungen dieses Arbeitsbuchs können im Kurs vor allem nach Erklärungsphasen in Stillarbeit eingesetzt werden. Je nach den Lernbedingungen der Kursteilnehmer können die Übungen aber auch weitgehend in häuslicher Einzelarbeit gemacht werden. (Über die Möglichkeit, die Lösungen aus dem Schlüssel abzuschreiben, sollte man sich nicht allzu viele Gedanken machen. Oft ist der Lernerfolg dabei fast ebenso groß. Manche Lernende lassen sich von dem Argument überzeugen, dass das Abschreiben meistens wesentlich mühsamer ist als ein selbstständiges Lösen der Aufgabe.)

Nicht alle Übungen lassen sich im Arbeitsbuch selbst lösen; für manche Übungen wird also eigenes Schreibpapier benötigt.

Verfasser und Verlag

Wortschatz

Verben

ändern 19
ansehen 9
anziehen 14
ärgern 17

aussehen 8
finden 8
gefallen 13
gehören zu 10

kritisieren 16
kündigen 17
lügen 18
stecken 16

verlangen 18
vorstellen 9
zahlen 18

Nomen

e/r Angestellte, -n (ein
  Angestellter) 17
r Anzug, ⸚e 14
r Arbeitgeber, - 17
s Arbeitsamt 17
s Auge, -n 10
s Badezimmer, - 17
r Bauch, ⸚e 12
e Bluse, -n 13
e Brille, -n 13
r Bruder, ⸚ 15
e Chefin, -nen 12
r Ehemann, ⸚er 11

s Ergebnis, -se 16
e Farbe, -n 13
r Feind, -e 12
s Gesicht, -er 10
s Haar, -e 13
r Hals, ⸚e 10
s Hemd, -en 14
e Hochzeit, -en 14
e Hose, -n 14
e Jacke, -n 13
r Job, -s 17
s Kleid, -er 13
e Kleidung 13

r Kollege, -n 12
e Krawatte, -n 14
e Leistung, -en 18
e Liebe 16
r Mann, ⸚er 12
e Meinung, -en 13
r Morgen 16
r Mund, ⸚er 10
r Musiker, - 8
r Prozess, -e 17
r Pullover, - 13
r Punkt, -e 16
r Rechtsanwalt, ⸚e 17

s Restaurant, -s 16
r Rock, ⸚e 13
r Schuh, -e 13
e Sorge, -n 12
e Stelle, -n 17
r Strumpf, ⸚e 13
r Test, -s 16
e Tochter, ⸚ 16
s Vorurteil, -e 12
r Wagen, - 16

Adjektive

ähnlich 15
alt 8
angenehm 16
arm 16
blau 10
blond 8
braun 10
dick 8
dumm 8
dunkel 13
dünn 8
ehrlich 16
elegant 11
freundlich 8

gefährlich 12
gelb 11
gemütlich 8
genau 9
gleich 18
grau 11
grün 11
gut 9
hässlich 8
hübsch 8
intelligent 8
interessant 12
jung 8
klug 12

komisch 8
konservativ 13
kurz 10
lang 10
langweilig 8
lustig 8
nervös 8
nett 8
neu 11
offen 16
pünktlich 16
rot 11
ruhig 8
rund 10

schlank 8
schmal 10
schön 8
schwarz 10
selten 12
sportlich 11
sympathisch 8
traurig 8
treu 12
verrückt 16
voll 12
weich 13
weiß 11
wunderbar 16

Adverbien

bestimmt 19
etwa 8
immer 12

meinetwegen 18
meistens 12
nie 12

nur 17
oft 12
sonst 18

weiter- 9
wieder- 17
ziemlich 8

Funktionswörter

alle 16
dieser 16

jeder 16
manche 16

un- 8
viel 9

welcher 15
wie 8

Grammatik

Adjektiv: Vergleiche (§ 8)

gleich: so	groß	wie		*nicht gleich:* größer	als
	schwer			schwerer	
	...			...	

Adjektiv: Endungen (§ 5)

Nominativ			*Akkusativ*			*Dativ*			*Genitiv*		
der	klein e	...	den	klein en	...	dem	klein en	...	des	klein en	...
die			die	klein e		der			der		
das			das			dem			des		
die	klein en	...	die	klein en	...	den	klein en	...	der	klein en	...
ein	klein er	...	einen	klein en	...	einem	klein en	...	eines	klein en	...
eine	klein e		eine	klein e		einer			einer		
ein	klein es		ein	klein es		einem			eines		
–	klein e	...	–	klein e	...	–	klein en		–	klein er	...

Artikelwörter (§ 1)

Singular	*Maskulinum:*	der	dieser	mancher	jeder
		den	diesen	manchen	jeden
		dem	diesem	manchem	jedem
		des	dieses	manches	jedes
	Femininum:	die	diese	manche	jede
		die	diese	manche	jede
		der	dieser	mancher	jeder
		der	dieser	mancher	jeder
	Neutrum:	das	dieses	manches	jedes
		das	dieses	manches	jedes
		dem	diesem	manchem	jedem
		des	dieses	manches	jedes
	Plural	die	diese	manche	alle
		die	diese	manche	alle
		den	diesen	manchen	allen
		der	dieser	mancher	aller

1. Was findet man bei einem Menschen normalerweise positiv, was negativ?

Nach Übung

2

im Kursbuch

| nett   lustig   sympathisch   dumm   intelligent |
| freundlich   langweilig   unsympathisch   hässlich |
| attraktiv   ruhig   hübsch   schön   schlank |
| dick   komisch   nervös   gemütlich   unfreundlich |

positiv	negativ

2. Was passt nicht?

Nach Übung

2

im Kursbuch

a) nett – freundlich – sympathisch – hübsch
b) schlank – intelligent – groß – blond
c) alt – dick – dünn – schlank
d) blond – langhaarig – attraktiv – schwarzhaarig
e) hässlich – hübsch – schön – attraktiv
f) nervös – ruhig – gemütlich – jung
g) nett – komisch – unsympathisch – unfreundlich

3. „Finden" oder „aussehen" oder „sein"? Was passt?

Nach Übung

2

im Kursbuch

a) Jens _____ ich langweilig _____ .
b) Vera _____ sympathisch _____ .
c) Anna _____ blond _____ .
d) Gerd _____ ich attraktiv _____ .
e) Ute _____ intelligent _____ .
f) Paul _____ 30 Jahre alt _____ .
g) Vera _____ 1 Meter 64 groß _____ .
h) Gerd _____ traurig _____ .
i) Paul _____ ich hässlich _____ .

4. Was passt? Ergänzen Sie.

Nach Übung

3

im Kursbuch

Renate 157   Karin 159   Nadine 170   Sonja 172   Christa 186

| ein bisschen / etwas |
| über |
| nur/bloß |
| fast |
| mehr |
| viel   genau |
| etwa/ungefähr |

a) Karin ist _____ größer als Renate.
b) Karin ist _____ 10 Zentimeter kleiner als Nadine.
c) Sonja ist _____ 2 Zentimeter größer als Nadine.
d) Christa ist _____ größer als Nadine.
e) Nadine ist _____ als 10 Zentimeter größer als Karin.
f) Nadine ist _____ 10 Zentimeter größer als Karin.
g) Christa ist _____ 30 Zentimeter größer als Renate.
h) Christa ist _____ 14 Zentimeter größer als Sonja.

Nach Übung

6

im Kursbuch

5. Was ist typisch für ...?

a) Arnold Schwarzenegger
Arme: stark _____ .
Schultern: breit _____ .
Augen: schmal _____ .
Figur: attraktiv _____ .

b) Danny de Vito
Beine: kurz *die kurzen Beine* _____ .
Bauch: dick *der* _____ .
Gesicht: rund _____ .
Hände: klein _____ .

c)

Naomi Campbell

Beine: lang _____ .
Haut: braun _____ .
Mund: groß _____ .
Figur: schlank _____ .

d)

Harry Potter

Brille: rund _____ .
Nase: klein _____ .
Haare: schwarz _____ .
Kopf: klug _____ .

Nach Übung

6

im Kursbuch

6. Was passt nicht?

a) Gesicht: schmal – rund – stark – breit
b) Augen: groß – klein – schmal – schlank
c) Nase: rund – lang – breit – kurz – dick – klein
d) Beine: lang – dünn – schlank – groß – dick – kurz
e) Mensch: groß – kurz – klein – schlank – dünn – dick

7. Hartmut hatte Geburtstag. Wer hat ihm die Sachen geschenkt? Schreiben Sie.

Nach Übung
7
im Kursbuch

a) Fotoapparat: billig
   Den billigen Fotoapparat hat
   Bernd ihm geschenkt.
b) Uhr: komisch/Petra
c) Buch: langweilig/Udo
d) Pullover: hässlich/Inge
e) Kuchen: alt/Carla
f) Wein: sauer/Dagmar
g) Jacke: unmodern/Horst
h) Kugelschreiber: kaputt/Holger
i) Radio: billig/Rolf

8. Mit welcher Farbe malt man diese Dinge?

Nach Übung
7
im Kursbuch

| braun | rot | gelb | schwarz | grün | weiß | blau |

a) Sonne: _____
b) Feuer: _____
c) Schnee: _____
d) Wasser: _____

e) Nacht: _____
f) Wiese: _____
g) Erde: _____

9. „Welches findest du besser?" Schreiben Sie.

Nach Übung
7
im Kursbuch

a) Kleid (lang/kurz)
   Welches Kleid findest du besser,
   das lange oder das kurze?
b) Mantel (gelb/braun)
c) Jacke (grün/weiß)
d) Pullover (dick/dünn)
e) Mütze (klein/groß)
f) Hose (blau/rot)
g) Handschuhe (weiß/schwarz)

10. Ordnen Sie.

Nach Übung
10
im Kursbuch

| manchmal | sehr oft | nie | meistens / fast immer | selten | fast nie / sehr selten | immer | oft |

nie _____ → _____ → _____ → _____ →
_____ → _____ → _____ →

Nach Übung
10
im Kursbuch

11. Kennen Sie das Märchen von König Drosselbart? Die schöne Königstochter soll heiraten, aber kein Mann gefällt ihr.

Nimm doch den hier!

Wie hässlich!
So ein dicker Hals gefällt mir nicht.

Was sagt sie über die anderen Männer? Schreiben Sie.
b) _Wie hässlich! So ein_ _____
…

Brust	Mund	Arme	Beine	Bauch	Nase	Gesicht
lang	dick	kurz	traurig	dünn	groß	schmal

Nach Übung
11
im Kursbuch

12. Bildlexikon. Wie heißen die Kleidungsstücke? Schreiben Sie auch die Artikel.

a) _die_   _Jacke_ _____
b) _das_   _Kleid_ _____
c) _____ _____
d) _____ _____
e) _____ _____
f) _____ _____
g) _____ _____
h) _____ _____
i) _____ _____
j) _____ _____
k) _____ _____

13. Was passt?

Nach Übung

11

im Kursbuch

Aussehen	Mensch/Charakter	Haare	Kleidung

a) _____ : dünn – lang – blond – dunkel – kurz – hell – rot – braun

b) _____ : sportlich – elegant – konservativ – teuer – neu – attraktiv – schön – modern

c) _____ : intelligent – dumm – klug – langweilig – gefährlich – ehrlich – konservativ – komisch – nett – alt – lustig – nervös – ruhig – jung

d) _____ : schön – hübsch – interessant – hässlich – attraktiv – schlank – groß – dick – klein

14. Beschreiben Sie die Personen.

Nach Übung

11

im Kursbuch

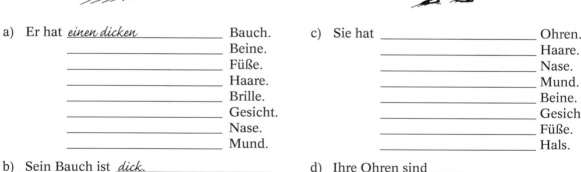

a) Er hat *einen dicken* _____ Bauch.
_____ Beine.
_____ Füße.
_____ Haare.
_____ Brille.
_____ Gesicht.
_____ Nase.
_____ Mund.

b) Sein Bauch ist *dick.* _____
Seine Beine sind _____
Seine Füße sind _____
Seine Haare sind _____
Seine Brille ist _____
Sein Gesicht ist _____
Seine Nase ist _____
Sein Mund ist _____

c) Sie hat _____ Ohren.
_____ Haare.
_____ Nase.
_____ Mund.
_____ Beine.
_____ Gesicht.
_____ Füße.
_____ Hals.

d) Ihre Ohren sind _____
Ihre Haare sind _____
Ihre Nase ist _____
Ihr Mund ist _____
Ihre Beine sind _____
Ihr Gesicht ist _____
Ihre Füße sind _____
Ihr Hals ist _____

Nach Übung

17

im Kursbuch

15. Ergänzen Sie.

a) Er trägt einen schwarz*en*_____ Pullover mit einem weiß_____ Hemd.
b) Sie trägt einen blau_____ Rock mit einer gelb_____ Bluse.
c) Er trägt schwer_____ Schuhe mit dick_____ Strümpfen.
d) Sie trägt einen dunkl_____ Rock mit einem rot_____ Pullover.
e) Sie trägt ein weiß_____ Kleid mit einer blau_____ Jacke.
f) Sie trägt eine braun_____ Hose mit braun_____ Schuhen.

Nach Übung

17

im Kursbuch

16. Ihre Grammatik. Ergänzen Sie.

	Nominativ	Akkusativ	Dativ
Mantel: rot	*ein roter Mantel*	*einen*	
Hose: braun			
Kleid: blau			
Schuhe: neu			

Nach Übung

17

im Kursbuch

17. Ergänzen Sie.

● Sag mal, was soll ich anziehen?

a) ■ Den schwarz*en*_____ Mantel mit der
weiß*en*_____ Mütze.
b) ■ Das blau_____ Kleid mit der
rot_____ Jacke.
c) ■ Die braun_____ Schuhe mit den
grün_____ Strümpfen.
d) ■ Die hell_____ Bluse mit dem
gelb_____ Rock.
e) ■ Die rot_____ Jacke mit dem
schwarz_____ Kleid.

Nach Übung

17

im Kursbuch

18. Ihre Grammatik. Ergänzen Sie.

	Nominativ	Akkusativ	Dativ
Mantel: rot	*der rote Mantel*	*den*	
Hose: braun			
Kleid: blau			
Schuhe: neu			

19. Schreiben Sie Dialoge.

Nach Übung
17
im Kursbuch

a) Bluse: weiß, blau

● *Du suchst doch eine Bluse.*
Wie findest du die hier?
■ *Welche meinst du?*
● *Die weiße.*
■ *Die gefällt mir nicht.*
● *Was für eine möchtest du denn?*
■ *Eine blaue.*

b) Hose: braun, schwarz
c) Kleid: kurz, lang
d) Rock: rot, gelb
e) Schuhe: blau, weiß

20. Ihre Grammatik. Ergänzen Sie.

Nach Übung
17
im Kursbuch

	Nominativ	Akkusativ	Dativ
Mantel	*Was für ein Mantel?* *Welcher Mantel?*	*Was für ei* *Welch*	*Mit was für* *Mit*
Hose			
Kleid			
Schuhe			

21. Was passt?

Nach Übung
17
im Kursbuch

a) schreiben : Schriftsteller / Musik machen : _____
b) Mutter : Vater / Tante : _____
c) Bruder : Schwester / Sohn : _____
d) Gramm (g) : Kilo (kg) / Zentimeter (cm) : _____
e) Chefin : Chef / Ehefrau : _____
f) wohnen : Nachbar / arbeiten : _____
g) Frau : Bluse / Mann : _____
h) Geburtstag haben : Geburtstagsfeier / heiraten : _____
i) schlecht hören : Hörgerät / schlecht sehen : _____
j) nichts : alles / leer : _____
k) Sorgen : viele Probleme / Glück : _____

Nach Übung
17
im Kursbuch

22. Ergänzen Sie „welch-?" und „dies-".

a)
- ● *Welcher* _____ Rock ist teurer?
- ● _____ Hose ist teurer?
- ● _____ Kleid ist teurer?
- ● _____ Strümpfe sind teurer?

- ■ *Dieser* _____ rote hier.
- ■ _____ braune hier.
- ■ _____ gelbe hier.
- ■ _____ blauen hier.

b)
- ● _____ Anzug nimmst du?
- ● _____ Bluse nimmst du?
- ● _____ Hemd nimmst du?
- ● _____ Schuhe nimmst du?

- ■ _____ schwarzen hier.
- ■ _____ weiße hier.
- ■ _____ blaue hier.
- ■ _____ braunen hier.

c)
- ● Zu _____ Rock passt die Bluse?
- ● Zu _____ Hose passt das Hemd?
- ● Zu _____ Kleid passt der Mantel?
- ● Zu _____ Schuhen passt die Hose?

- ■ Zu _____ roten hier.
- ■ Zu _____ weißen hier.
- ■ Zu _____ braunen hier.
- ■ Zu _____ schwarzen hier.

Nach Übung
18
im Kursbuch

23. Ergänzen Sie.

kritisieren	Test	Arbeitsamt	Prozess	Angestellte
Ergebnis		angenehm	verrückt	Arbeitgeberin
Typ	Stelle	pünktlich	Wagen	

a) Frau Brandes hat die Firma gekauft. Sie ist jetzt _____ und hat 120 _____ .

b) Hans ist arbeitslos. Er bekommt Geld vom _____ .

c) Hans kommt nie zu spät. Er ist immer _____ .

d) Eine Irokesenfrisur, das ist doch nicht normal, das ist _____ .

e) Frau Peters ist ruhig, nett und freundlich. Sie ist wirklich eine _____ Kollegin.

f) Karin hat ihren _____ gewonnen. Das Gericht hat ihr recht gegeben.

g) Lutz ist glücklich. Er war drei Monate arbeitslos, aber jetzt hat er eine neue _____ gefunden.

h) Franz war gestern beim Arzt und hat einen Bluttest gemacht. Das _____ bekommt er nächste Woche.

i) Heinz hat seine Arbeit immer gut gemacht. Sein Chef musste ihn nie _____ .

j) Heinz sieht komisch aus, aber er ist ein sehr netter _____ .

k) Morgen geht Sonja zu Fuß zur Arbeit. Ihr _____ ist kaputt.

l) Der _____ war positiv: Die Qualität des Produkts ist sehr gut.

24. „Jeder", „alle" oder „manche"? Ergänzen Sie.

Nach Übung
18
im Kursbuch

a) ● Wie finden Sie die Entscheidung des Arbeitsamtes? ■ Richtig! _____
   Punks sind doch gleich! Die wollen doch nicht arbeiten. Das weiß man doch.
   ● Aber _____ suchen doch Arbeit! Heinz Kuhlmann zum Beispiel.
   ■ Das glaube ich nicht.
b) ● Finden Sie _____ Punk unsympathisch?
   ■ Nein. Es gibt auch nette Punks. Nur _____ mag ich nicht.
c) ● Hat das Arbeitsamt recht? ■ Nein, das Arbeitsamt muss _____ Personen
   die gleiche Chance geben, auch _____ arbeitslosen Punk.
d) ● Gefallen Ihnen Punks? ■ Ich finde sie eigentlich ganz lustig, aber nicht
   _____ sind gleich. Viele tragen interessante Kleidung, nur
   _____ finde ich hässlich.

25. Ihre Grammatik. Ergänzen Sie.

Nach Übung
18
im Kursbuch

	Singular						Plural		
Nominativ	der	*jeder*	die	*jede*	das	*jedes*	die	*alle*	*manche*
Akkusativ	den		die		das				
Dativ	dem		der		dem				

26. Ordnen Sie.

Nach Übung
21
im Kursbuch

Du hast recht.   Ich bin anderer Meinung.   Das finde ich nicht.   Das stimmt.
Das ist richtig.   Das ist falsch.   Das ist auch meine Meinung.
Das finde ich auch.   Das ist Unsinn.   So ein Quatsch!   Ich glaube das auch.
Einverstanden!   Das ist wahr.   Das stimmt nicht.   Das ist nicht wahr.

pro (+) | kontra (−)

27. Welche Verben passen am besten?

Nach Übung
21
im Kursbuch

kündigen kritisieren verlangen zahlen tragen lügen

a) falsch, nicht wahr, nicht ehrlich: _____
b) unbedingt wollen, nicht bitten: _____
c) Geld, Rechnung, kaufen: _____
d) Kleidung, Schuhe, Schmuck: _____
e) schlecht finden; sagen, warum: _____
f) nicht mehr arbeiten wollen, unzufrieden, neuer Job: _____

Wortschatz

Verben

anbieten 29	bewerben 32	lesen 32	überlegen 28
anfangen 33	dauern 27	lösen 31	verdienen 22
aufhören 24	kämpfen 29	schaffen 29	versprechen 31
aussuchen 27	kennen 29	sollen 24	vorbereiten 31
beginnen 29	kennenlernen 24	stimmen 28	werden 23
bestimmen 24	lernen 24	suchen 24	zuhören 28

Nomen

e Antwort, -en 29	e Fahrt, -en 33	r Monat, -e 29	s Studium, Studien 29
e Anzeige, -n 32	e Firma, Firmen 31	r Nachteil, -e 28	r Termin, -e 31
r Arzt, ¨e 23	s Gehalt, ¨er 31	e Nummer, -n 31	r Text, -e 28
e Aufgabe, -n 32	r Grund, ¨e 33	r Politiker, - 22	e Universität, -en 29
r Augenblick, -e 24	e Grundschule, -en 27	r Polizist, -en 30	e Verkäuferin, -nen 24
e Ausbildung 24	s Gymnasium, Gymnasien 27	s Problem, -e 29	r Vertrag, ¨e 31
r Beamte, -n (ein Beamter) 30	Haupt- 27	e Prüfung, -en 30	r Vorteil, -e 28
r Beruf, -e 22	e Hauptsache, -n 33	e Religion, -en 27	e Wirtschaft 29
r Betrieb, -e 31	r Import, -e 32	e Schauspielerin, -nen 23	s Wort, ¨er 31
e Bewerbung, -en 29	s Inland 31	e Schule, -n 25	r Zahnarzt, ¨e 24
r Bundeskanzler 22	e Kantine, -n 31	r Schüler, - 27	e Zahnärztin, -nen 24
r Computer, - 31	r Kindergarten, ¨ 29	e Sekretärin, -nen 31	s Zeugnis, -se 28
s Datum, Daten 32	e Klasse, -n 22	s Semester, - 29	e Zukunft 29
s Diplom, -e 29	e Lehre, -n 27	e Sicherheit 33	
s Examen, - 29	r Maurer, - 24	e Sprache, -n 22	
r Export, -e 32	e Möglichkeit, -en 28	r Student, -en 29	

Adjektive

anstrengend 24	dringend 31	sauber 24	schwer 24
arbeitslos 29	geehrt 32	schlecht 25	selbstständig 24
ausgezeichnet 31	leicht 33	schlimm 28	toll 24
bekannt 24	praktisch 24	schmutzig 24	wichtig 22

Adverbien

hiermit 32	je 33	mindestens 28	sicher 30

Funktionswörter

dann 22	mehrere 31	trotzdem 29	warum 23
denn 29	obwohl 24	von ... bis ... 27	weil 23
deshalb 24	seit 32	wann 32	wenn 27

Ausdrücke

auf eine Schule
  gehen 28
auf jeden Fall 33

auf keinen Fall 33
eine Schule besuchen
  27

es gibt 27
Lust haben 24
Spaß machen 24

zufrieden sein 24
zur Schule gehen
  22

Grammatik

Nebensätze: „weil", „obwohl", „wenn" (§ 22 und 23)

Junktor	Vorfeld	Verb₁	Subj.	Angabe	Ergänzung	Verb₂	Verb₁ im Nebensatz
	Sabine	will			Fotomodell	werden.	
	Das	ist			ein schöner Beruf.		
	Sabine	will			Fotomodell	werden,	
weil			das		ein schöner Beruf		ist.
	Paul	möchte			Nachtwächter	werden,	
obwohl			er	dann nachts		arbeiten	muss.
Wenn			Paul		Nachtwächter		wird,
	muss	er	nachts			arbeiten.	

Modalverben: Präteritum (§ 19)

ich	wollte	konnte	durfte	sollte	musste
du	wolltest	konntest	durftest	solltest	musstest
Sie	wollten	konnten	durften	sollten	mussten
er/sie/es	wollte	konnte	durfte	sollte	musste
wir	wollten	konnten	durften	sollten	mussten
ihr	wolltet	konntet	durftet	solltet	musstet
Sie	wollten	konnten	durften	sollten	mussten
sie	wollten	konnten	durften	sollten	mussten

Ordinalzahlen (§ 9)

der | erste, zweite, dritte, vierte, fünfte, sechste, siebte, achte, neunte, ... Mai
zwanzigste, einundzwanzigste, zweiundzwanzigste, ... Dezember
hundertste, hundertunderste, hundertundzweite, ... Tag
tausendste, tausendunderste, ... Kursteilnehmer
tausendeinhundertste, tausendeinhundertunderste, ... Kunde
millionste VW

Endungen wie
Adjektivendungen:
Seite 6

Nach Übung

1

im Kursbuch

1. Sagen Sie es anders.

a) Peter möchte Zoodirektor werden, denn er mag Tiere.

   Peter möchte Zoodirektor werden, weil er Tiere mag.
   Weil Peter Tiere mag, möchte er Zoodirektor werden.

b) Gabi will Sportlerin werden, denn sie möchte eine Goldmedaille gewinnen.

c) Sabine will Fotomodell werden, denn sie mag schöne Kleider.

d) Paul mag abends nicht früh ins Bett gehen. Deshalb möchte er Nachtwächter werden.

e) Sabine möchte viel Geld verdienen, deshalb will sie Fotomodell werden.

f) Paul will Nachtwächter werden, denn er möchte nachts arbeiten.

g) Julia will Dolmetscherin werden, denn dann kann sie oft ins Ausland fahren.

h) Julia möchte gern viele Sprachen verstehen. Deshalb möchte sie Dolmetscherin werden.

i) Gabi will Sportlerin werden, denn sie ist die Schnellste in ihrer Klasse.

Ihre Grammatik. Ergänzen Sie.

Junktor	Vorfeld	Verb$_1$	Subj.	Erg.	Ang.	Ergänzung	Verb$_2$	Verb$_1$ im Nebensatz
a)	Peter	möchte				Zoodirektor	werden,	
denn	er	mag				Tiere.		
	Peter	möchte				Zoodirektor	werden,	
weil			er			Tiere		mag.
b)	Gabi	will						
c)								

2. Präsens oder Präteritum? Ergänzen Sie die richtige Form von „wollen".

Nach Übung

3

im Kursbuch

a) Franz _____ eigentlich Ingenieur werden; heute ist er Automechaniker.

b) Hanna _____ Managerin werden, deshalb studiert sie Betriebswirtschaft.

c) Christas Traumberuf war Schauspielerin, aber ihre Eltern _____ das nicht. Heute ist sie Lehrerin.

d) ● Was _____ du werden?

   ■ Das weiß ich nicht mehr. Das habe ich vergessen.

e) ● Was _____ ihr beide werden?

   ■ Das wissen wir noch nicht.

f) Meine Schwester und ich, wir _____ eigentlich beide studieren. Aber unsere Eltern hatten nicht genug Geld.

g) ● Warum _____ du Dolmetscherin werden?

   ■ Weil ich dann oft ins Ausland reisen kann.

h) Ihr seid beide Lehrer. War das euer Traumberuf, oder _____ ihr eigentlich etwas anderes werden?

i) ● Findest du deinen Beruf interessant? Bist du zufrieden?

   ■ Nein, eigentlich _____ ich Ärztin werden.

j) ● Möchtet ihr studieren?

   ■ Nein, wir _____ beide einen Beruf lernen.

3. Ihre Grammatik. Ergänzen Sie.

Nach Übung

3

im Kursbuch

ich	du	er/sie/ es/man	wir	ihr	sie	Sie
will	w					
wollte						

4. Was passt?

Nach Übung

4

im Kursbuch

kennenlernen   Schauspielerin   Zahnarzt   Verkäufer

Ausbildung   Maurer   verdienen   Zukunft   Klasse

a) Restaurant : Kellner / Geschäft : _____

b) arbeiten : Beruf / lernen : _____

c) ausgeben : bezahlen / bekommen : _____

d) Schule : Lehrerin / Theater : _____

e) Augen : Augenarzt / Zähne : _____

f) jetzt : im Augenblick / in 3 Jahren : in der _____

g) mit Farbe malen : Maler / mit Steinen bauen : _____

h) Sprachen : lernen / Leute : _____

i) Sport : Mannschaft / Schule : _____

Nach Übung

4

im Kursbuch

5. Zwei Adjektive passen nicht.

a) Die Arbeit ist …: schmutzig, interessant, wichtig, einfach, leicht, klein, schwer, gefährlich, jung, langweilig, laut, anstrengend
b) Er arbeitet …: schnell, bekannt, selbstständig, sauber, genau, schlank, langsam
c) Die Arbeitskollegin ist …: schlank, klein, arm, reich, stark, frisch, schön, zufrieden, nett, einfach, langweilig, freundlich, toll
d) Die Maschine ist …: zufrieden, kaputt, schmutzig, sauber, klein, freundlich, laut, schwer, gefährlich

Nach Übung

5

im Kursbuch

6. Ihre Grammatik. Ergänzen Sie.

	können	dürfen	sollen	müssen
ich	konnte			
du				
er/sie/ es/man				
wir				
ihr				
sie				
Sie				

Nach Übung

5

im Kursbuch

7. „Obwohl" oder „weil"? Was passt?

a) Herr Gansel musste Landwirt werden, _____ seine Eltern einen Bauernhof hatten.
b) Frau Mars ist Stewardess geworden, _____ ihre Eltern das nicht wollten.
c) Herr Schmidt arbeitet als Taxifahrer, _____ ihm die unregelmäßige Arbeitszeit nicht gefällt.
d) Herr Schmidt konnte nicht mehr als Maurer arbeiten, _____ er einen Unfall hatte.
e) Frau Voller sucht eine neue Stelle, _____ sie nicht genug verdient.
f) Frau Mars liebt ihren Beruf, _____ die Arbeit manchmal sehr anstrengend ist.
g) Herr Gansel musste Landwirt werden, _____ er es gar nicht wollte.

Ihre Grammatik. Ergänzen Sie mit den Sätzen d) bis g).

Junktor	Vorfeld	Verb₁	Subj.	Erg.	Angabe	Ergänzung	Verb₂	Verb₁ im Nebensatz
d)	Herr Sch.	konnte			nicht mehr	als Maurer	arbeiten,	
weil			er			einen Unfall		hatte.
e)								
f)								
g)								

---

8. Geben Sie einen Rat.

Nach Übung
11
im Kursbuch

Wolfgang hat gerade seinen Realschulabschluss gemacht. Er weiß noch nicht, was er jetzt machen soll. Geben Sie ihm einen Rat.

a) Bankkaufmann werden – jetzt schnell eine Lehrstelle suchen
   Wenn du Bankkaufmann werden willst, dann musst du jetzt eine Lehrstelle suchen.
   _____*, dann such jetzt schnell eine Lehrstelle.*

b) studieren – aufs Gymnasium gehen
c) sofort Geld verdienen – die Stellenanzeigen in der Zeitung lesen
d) nicht mehr zur Schule gehen – einen Beruf lernen
e) noch nicht arbeiten – weiter zur Schule gehen
f) später zur Fachhochschule gehen – jetzt zur Fachoberschule gehen
g) einen Beruf lernen – die Leute beim Arbeitsamt fragen

9. Bilden Sie Sätze.

a) Kurt / eine andere Stelle suchen / weil / mehr Geld verdienen wollen
   Kurt sucht eine andere Stelle, weil er mehr Geld verdienen will.
   Weil Kurt mehr Geld verdienen will, sucht er eine andere Stelle.

b) Herr Bauer / unzufrieden sein / weil / anstrengende Arbeit haben

c) Eva / zufrieden sein / obwohl / wenig Freizeit haben

d) Hans / nicht studieren können / wenn / schlechtes Zeugnis bekommen

e) Herbert / arbeitslos sein / weil / Unfall haben (*hatte*)

f) Ich / die Stelle nehmen / wenn / nicht nachts arbeiten müssen

10. Was passt?

Gymnasium	Grundschule	Bewerbung	Zeugnis
mindestens	Semester	Lehre	beginnen	Nachteil

a) studieren : Studium / Beruf lernen : _____

b) Schule : Schuljahr / Studium : _____

c) nicht mehr als : höchstens / nicht weniger als : _____

d) Examen : Universität / Abitur : _____

e) gut : Vorteil / schlecht : _____

f) Universität : Diplom / Schule : _____

g) nicht wissen : Frage / keine Stelle : _____

h) Ende : aufhören / Anfang : _____

i) unter 6 Jahren : Kindergarten / ab 6 Jahren : _____

11. Welcher Satz hat eine ähnliche Bedeutung?

a) *Vera findet keine Stelle.*
   - A Vera findet keine Stelle gut.
   - B Vera sucht eine Stelle, aber es gibt keine.
   - C Vera hat ihre Stelle verloren.

b) *Ihr macht das Studium wenig Spaß.*
   - A Sie studiert nicht gerne.
   - B Sie möchte lieber studieren.
   - C Sie findet ihr Studium interessant.

c) *Ich bekomme bestimmt eine Stelle.*
   Ich sehe da kein Problem.
   - A Ich schaffe es bestimmt. Ich finde eine Stelle.
   - B Es gibt nur wenig Stellen. Ich habe bestimmt keine großen Chancen.
   - C Vielleicht habe ich ja Glück und finde eine Stelle.

d) Was soll *ich machen? Hast du eine Idee?*
   - A Kannst du mir den Weg erklären?
   - B Kannst du mir einen Rat geben?
   - C Kennst du die richtige Antwort?

12. Was passt?

Nach Übung

15

im Kursbuch

sonst	trotzdem	dann	aber	denn	deshalb	und

a) Für Akademiker gibt es wenig Stellen. _____ haben viele Studenten Zukunftsangst.

b) Die Studenten wissen das natürlich, _____ die meisten sind nicht optimistisch.

c) Man muss einfach besser sein, _____ findet man bestimmt eine Stelle.

d) Du musst zuerst das Abitur machen. _____ kannst du nicht studieren.

e) Ihr macht das Studium keinen Spaß. _____ studiert sie weiter.

f) Sie hat viele Bewerbungen geschrieben. _____ sie hat keine Stelle gefunden.

g) Sie lebt noch bei ihren Eltern, _____ eine Wohnung kann sie nicht bezahlen.

h) Auch an der Uni muss man kämpfen, _____ hat man keine Chancen.

i) Wenn sie nicht bald eine Stelle findet, _____ möchte sie wieder studieren.

j) Den Job im Kindergarten findet sie interessant, _____ sie möchte lieber als Psychologin arbeiten.

k) Ihre Doktorarbeit war sehr gut. _____ hat sie noch keine Stelle gefunden.

Ihre Grammatik. Ergänzen Sie mit den Sätzen a) bis g).

	Junktor	Vorfeld	Verb₁	Subjekt	Erg.	Ang.	Ergänzung	Verb₂
a)		Für Akademiker	gibt	es			wenig Stellen.	
		Deshalb	haben	viele Studenten			Zukunftsangst.	
b)		Die Studenten						
c)								
d)								
e)								
f)								
g)								

Nach Übung

15

im Kursbuch

13. Sie können es auch anders sagen.

so   *oder*   *so*

a) Die Studenten kennen ihre schlechten Berufschancen. Trotzdem studieren sie weiter.

    Die Studenten studieren weiter, obwohl sie ihre schlechten Berufschancen kennen.

b) Obwohl Vera schon 27 Jahre alt ist, wohnt sie immer noch bei den Eltern.

    Vera ist schon 27 Jahre alt. Trotzdem . . .

c) Manfred will nicht mehr zur Schule gehen. Trotzdem soll er den Realschulabschluss machen.

d) Jens will Englisch lernen, obwohl er schon zwei Fremdsprachen kann.

e) Eva sollte Lehrerin werden. Trotzdem ist sie Krankenschwester geworden.

f) Ein Doktortitel hilft bei der Stellensuche wenig. Trotzdem schreibt Vera eine Doktorarbeit.

g) Obwohl es zu wenig Stellen für Akademiker gibt, hat Konrad Dehler keine Zukunftsangst.

h) Bernhard hat das Abitur gemacht. Trotzdem möchte er lieber einen Beruf lernen.

i) Doris möchte keinen anderen Beruf, obwohl sie sehr schlechte Arbeitszeiten hat.

Nach Übung

15

im Kursbuch

14. Sie können es auch anders sagen. Bilden Sie Sätze mit „weil", „denn" oder „deshalb".

a) Thomas möchte nicht mehr zur Schule gehen, denn er möchte lieber einen Beruf lernen.

    Thomas möchte nicht mehr zur Schule gehen, weil er lieber einen Beruf lernen möchte.
    Thomas möchte lieber einen Beruf lernen. Deshalb möchte er nicht mehr zur Schule gehen.

b) Jens findet seine Stelle nicht gut, weil er zu wenig Freizeit hat.

    Jens findet seine Stelle nicht gut, denn . . .
    Jens hat zu wenig Freizeit . . .

c) Herr Köster kann nicht arbeiten, denn er hatte gestern einen Unfall.

d) Manfred soll noch ein Jahr zur Schule gehen, denn er hat keine Stelle gefunden.

e) Vera wohnt noch bei ihren Eltern, weil sie nur wenig Geld verdient.

f) Kerstin kann nicht studieren, denn sie hat nur die Hauptschule besucht.

g) Conny macht das Studium wenig Spaß, weil es an der Uni eine harte Konkurrenz gibt.

h) Simon mag seinen Beruf nicht, weil er eigentlich Automechaniker werden wollte.

i) Herr Bender möchte weniger arbeiten, denn er hat zu wenig Zeit für seine Familie.

Nach Übung

15

im Kursbuch

15. Ist das Vorfeld noch frei? Ergänzen Sie die Sätze mit dem Subjekt!

a) Armin hat viel Freizeit. Trotzdem _____—_____ ist ____*er*____ unzufrieden.

b) Brigitte verdient gut. Aber ____*sie*____ ist _____—_____ unzufrieden.

c) Dieter lernt sehr viel. Trotzdem _____ hat _____ ein schlechtes Zeugnis.

d) Inge spricht sehr gut Englisch, denn _____ hat _____ zwei Jahre in England gelebt.

e) Waltraud mag Tiere. Deshalb _____ will _____ Tierärztin werden.

f) Klaus will Politiker werden. Dann _____ ist _____ oft im Fernsehen.

g)   Renate ist in der elften Klasse. Also _____ macht _____ nächstes Jahr das Abitur.

h)   Paul hat einen anstrengenden Beruf. Aber _____ verdient _____ viel Geld.

i)   Petra geht doch weiter zur Schule, denn _____ hat _____ keine Lehrstelle gefunden.

j)   Utas Vater ist Lehrer. Deshalb _____ wird _____ auch Lehrerin.

k)   Klaus hat morgen Geburtstag. Dann _____ ist _____ 21 Jahre alt.

16. Ergänzen Sie die Stellenanzeige.

Nach Übung
16
im Kursbuch

Wir sind ein groß_____ Unternehmen der deutsche_____ Textilindustrie.
Wir machen attraktiv_____ Mode für jung_____ Leute und verkaufen sie in
eigen_____ Geschäften. Für unser neu_____ Modekaufhaus in Rostock suchen wir

eine neu_____ Chefin oder einen neu_____ Chef.

Er oder sie sollte zwischen 35 und 45 Jahren alt sein, schon allein ein groß_____
Textilgeschäft geleitet haben und gern mit jung_____ Leuten zusammenarbeiten.
Wir bieten Ihnen einen interessant_____ Arbeitsplatz, ein gut_____ Gehalt und eine
sicher_____ beruflich_____ Zukunft in einem modern_____ Betrieb.

17. Schreiben Sie das Datum.

Nach Übung
18
im Kursbuch

a) ● Welches Datum haben wir heute?

(12. Mai)
Heute ist der zwölfte Mai. _____
(28. Februar)

■ _____
(1. April)

■ _____
(3. August)

■ _____

b) ● Wann sind Sie geboren?

(7. April)
Am siebten April. _____
(17. Oktober)

■ _____
(11. Januar)

■ _____
(31. März)

■ _____

c) ● Ist heute der fünfte September?

(3. September)
Nein, wir haben heute den dritten. _____
(4. September)

■ _____
(7. September)

■ _____
(8. September)

■ _____

d) ● Wann war Carola in Spanien?

(4. April–8. März)
Vom vierten April bis zum achten März. _____
(23. Januar–10. September)

■ _____
(14. Februar–1. Juli)

■ _____
(7. April–2. Mai)

■ _____

Nach Übung

20

im Kursbuch

18. Schreiben Sie einen Dialog.

Maurer.

Ja, ja, ich weiß. Aber findest du das wichtiger als eine gute Stelle? …

Hallo, Petra, hier ist Anke.

Das ist doch nicht schlimm. Dann musst du nur ein bisschen früher aufstehen.

Ja, drei Angebote. Am interessantesten finde ich eine Firma in Offenbach.

Aber du weißt doch, ich schlafe morgens gern lange.

Und? Erzähl mal!

Da kann ich Chefsekretärin werden. Die Kollegen sind nett, und das Gehalt ist auch ganz gut.

Und was machst du? Nimmst du die Stelle?

Na, wie geht's? Hast du schon eine neue Stelle?

Ich weiß noch nicht. Nach Offenbach sind es 35 Kilometer. Das ist ziemlich weit.

Hallo, Anke!

● _Maurer._ _____

■ _Hallo, Petra, hier ist Anke._ _____

● …

Nach Übung

21

im Kursbuch

19. Was passt?

Betrieb	anfangen	Inland	ausgezeichnet	auf jeden Fall	Kantine	lösen
Import	Hauptsache	Rente	Monate	dringend	Student	arbeitslos

a) Schule : Schüler / Studium : _____

b) studieren : Universität / arbeiten : _____

c) zu Hause : Esszimmer / Betrieb : _____

d) in einem fremden Land : im Ausland / im eigenen Land: im _____

e) Zeugnisnote 6 : sehr schlecht / Zeugnisnote 1 : _____

f) Frage : beantworten / Problem : _____

g) arbeiten : berufstätig / ohne Arbeit : _____

h) jung und arbeiten : Gehalt / alt und nicht arbeiten : _____

i) ins Ausland verkaufen : Export / im Ausland kaufen : _____

j) unwichtig : Nebensache / wichtig : _____

k) nein : auf keinen Fall / ja : _____

l) unwichtig : nicht schnell, nicht sofort / wichtig : _____

m) Ende : aufhören / Anfang : _____

n) Montag, Freitag, Mittwoch : Tage / April, Juni, Mai : _____

20. Welches Wort passt?

Nach Übung
21
im Kursbuch

Zeugnis	Gehalt	Termin	Kunde	Religion	bewerben

a) Geld, verdienen, jeden Monat, arbeiten: _____
b) Geschäft, einkaufen, bezahlen: _____
c) Uhrzeit, Datum, Ort, treffen: _____
d) Stelle suchen, arbeiten wollen, Zeugnis, Gespräch: _____
e) Kirche, Gott, glauben: _____
f) Papier, Schule, Note, gut, schlecht: _____

21. Ergänzen Sie.

Nach Übung
21
im Kursbuch

versprechen	gehen	aussuchen	bestimmen	machen	besuchen	schaffen

a) Petra _____ die Arbeit keinen Spaß mehr, deshalb sucht sie eine neue Stelle.
b) Bernd soll eigentlich Bankkaufmann werden. Aber er will das nicht, er möchte seinen Beruf
   selbst _____ .
c) Kurt muss noch ein Jahr zur Schule _____ , dann ist er fertig.
d) In Deutschland müssen Kinder zwischen 6 und 10 Jahren die Grundschule _____ .
e) ● Mama, welchen Pullover darf ich mir kaufen?
   ■ Das ist mir egal. Du kannst dir einen _____ .
f) Horst ist sehr glücklich. Er hat sein Examen _____ .
g) ● Kann ich nächste Woche drei Tage Urlaub bekommen?
   ■ Meinetwegen ja, aber ich kann es Ihnen nicht _____ . Ich muss vorher den
   Chef fragen.

22. Was passt am besten?

Nach Übung
21
im Kursbuch

sprechen	verdienen	korrigieren	schreiben	anbieten	kennen
werden	lesen	hören	dauern	studieren	

a) Geld: _____
b) eine Fremdsprache, Englisch, sehr laut: _____
c) einen Brief, einen Text, ein Buch, mit der Schreibmaschine: _____
d) Medizin, Chemie, Deutsch: _____
e) einen Fehler, einen Brief, einen Text: _____
f) Frau Ulfers, das Buch, den Weg: _____
g) Radio, Musik, eine Kassette: _____
h) der Frau einen Platz, dem Kollegen eine Tasse Kaffee, dem Gast ein Stück Kuchen:
   _____
i) Arzt, Maurer, Lehrer, Sekretärin: _____
j) eine Stunde, fünf Minuten, ein Jahr: _____
k) ein Buch, eine Zeitung, einen Brief, den Vertrag: _____

Wortschatz

Verben

ärgern 39	erzählen 43	leihen 40	spielen 36
aufregen 39	freuen 39	malen 43	stören 45
auspacken 43	geschehen 36	nützen 44	tanzen 43
ausruhen 43	interessieren 39	raten 40	verbieten 40
benutzen 42	küssen 41	reden 44	vergessen 43
beschweren 43	lachen 43	sammeln 43	vergleichen 37
bitten 40	legen 40	singen 36	weinen 43

Nomen

r Ausgang, ¨e 45	r Gruß, ¨e 44	r Maler, - 43	r Sport 36
r Bart, ¨e 43	r Hammer, ¨ 36	e Medizin 36	e Technik 39
r Baum, ¨e 41	r Himmel 41	e Minute, -n 43	s Telegramm, -e 36
r Bericht, -e 36	r Hut, ¨e 41	r Mond, -e 41	s Theater, - 43
s Bild, -er 36	e Illustrierte, -n 36	e Musik 39	s Tier, -e 36
e Ecke, -n 41	r Kasten, ¨ 40	e Nachricht, -en 36	e Uhrzeit, -en 37
r Eingang, ¨e 44	s Kaufhaus, ¨er 45	s Orchester, - 36	e Unterhaltung, -en 36
r Fall, ¨e 36	r Kompromiss, -e 40	e Ordnung 44	e Vorstellung, -en 43
r Finger, - 43	s Konzert, -e 36	r Plan, ¨e 38	e Werbung 36
e Freizeit 43	r Krach 43	r Platz, ¨e 43	e Wissenschaft, -en 39
r Fußball 36	e Kultur 36	e Qualität, -en 45	s Wochenende, -n 45
r Gedanke, -n 42	e Kunst 39	s Radio, -s 40	r Zahn, ¨e 36
e Gefahr, -en 38	r Laden, ¨ 44	e Sache, -n 43	r Zuschauer, - 43
e Gesundheit 36	e Landschaft, -en 36	r Schauspieler, - 43	
r Gewinn, -e 36	r Lautsprecher, - 44	e Sendung, -en 36	
r Glückwunsch, ¨e 39	s Lied, -er 40	r Sinn 41	
r Gott, ¨er 36	e Literatur 39	e Spezialität, -en 44	

Adjektive

europäisch 36	gewöhnlich 43	öffentlich 44	tot 38
fantastisch 43	günstig 43	regelmäßig 43	verboten 43
fein 41	herzlich 39	reich 38	weit 42
feucht 43	möglich 44	schwierig 36	

Adverbien und Funktionswörter

abends 39	genauso 45	so etwas 43	vielleicht 43
besonders 39	kaum 44	solch- 43	wenigstens 38
einige 40	leider 43	überhaupt nicht 41	zuletzt 36
extra 36	nachts 39	viele 55	

Grammatik

Reflexive Verben (§ 10)

Mit Reflexivpronomen im Akkusativ:

Ich	interessiere	mich	für Tierfilme.	
Du	ärgerst	dich	sicher über dieses Programm.	
Sie	freuen	sich	doch auch auf das Spiel, oder?	
Er	freut	sich	über seinen neuen Fernseher.	
Sie	regt	sich	über das Programm vom Sonntag	auf.
Wir	beschweren	uns	nicht über den Moderator.	
Ihr	stellt	euch	immer vor den Fernseher!	
Sie	beschweren	sich	ja über jedes Programm!	

Mit Reflexivpronomen im Dativ:

Ich	höre	mir	diese alten Lieder nicht mehr	an.	
Du	kaufst	dir	immer nur praktische Dinge!		
Sie	hören	sich	Ihre alten Jazzplatten nicht oft	an,	nicht wahr?
Er	kauft	sich	gerne alte Bücher.		

Präpositionalpronomen (§ 12)

auf	auf wen?	auf Sabine	auf sie	worauf?	auf die Pause	darauf
für	für wen?	für Frau Manz	für sie	wofür?	für das Fernsehen	dafür
mit	mit wem?	mit Kurt	mit ihm	womit?	mit dem Werkzeug	damit
über	über wen?	über alle	über uns	worüber?	über die Sendung	darüber

Konjunktiv II (§ 20)

ich	würde ... lernen	dürfte	sollte	müsste
du	würdest ... lernen	dürftest	solltest	müsstest
Sie	würden ... lernen	dürften	sollten	müssten
er/sie/es	würde ... lernen	dürfte	sollte	müsste

wir	würden ... lernen	dürften	sollten	müssten
ihr	würdet ... lernen	dürftet	solltet	müsstet
Sie	würden ... lernen	dürften	sollten	müssten
sie	würden ... lernen	dürften	sollten	müssten

ich	wäre	hätte	wollte	könnte
du	wärest	hättest	wolltest	könntest
Sie	wären	hätten	wollten	könnten
er/sie/es	wäre	hätte	wollte	könnte

wir	wären	hätten	wollten	könnten
ihr	wäret	hättet	wolltet	könntet
Sie	wären	hätten	wollten	könnten
sie	wären	hätten	wollten	könnten

Nach Übung

5

im Kursbuch

1. Wo passen die Wörter am besten?

a) Theater, Musik, Kunst, Museum, Literatur, Bilder: _____
b) Show, Film, Musik, Spiel, lustig, macht Spaß: _____
c) Zeitung (Anzeige), Fernsehen, Industrie, Produkt verkaufen: _____
d) Arzt, Medikament, krank, Apotheke, Gesundheit: _____
e) Spiel, Geld, Glück, Preis: _____
f) Kirche, glauben, Religion: _____
g) Musik machen, Gruppe, Konzert: _____
h) Nachrichten, Wetter, politisches Magazin, Reportage, Illustrierte: _____
i) fliegen, Flugzeug: _____
j) Fußball, Musik, Klavier, Karten: _____

> Unterhaltung
> Orchester
> Werbung
> Gewinn
> Medizin
> Information
> spielen
> Kultur
> Gott
> Pilot

Nach Übung

5

im Kursbuch

2. „-film", „-programm", „-sendung" oder „Unterhaltungs-"? Was passt?

_____	-musik	Spiel-	_____	Nachmittags-	_____
	-sendung	Kinder-		Kultur-	
	-orchester	Kriminal-		Unterhaltungs-	
	-programm	Tier-		Musik-	
	-film	Kurz-		Sport-	

Nach Übung

5

im Kursbuch

3. Was passt nicht?

a) Uhrzeit – Vormittag – Abend – Morgen – Nachmittag – Nacht – Mittag
b) Brief – Karte – Telefon – Telegramm
c) Frühstück – Mittagessen – Nachmittagsprogramm – Abendessen
d) Katze – Fisch – Tier – Hund – Schwein – Huhn
e) Zahnarzt – Tierarzt – Augenarzt – Hautarzt – Frauenarzt
f) zuerst – dann – zum Schluss – danach – zu spät
g) Stewardess – Flugzeug – Passagier – Flughafen – Auto
h) tot – schwer – schwierig – nicht leicht
i) los sein – geschehen – vergleichen – passieren

Nach Übung

5

im Kursbuch

4. Beschreiben Sie den Film. Verwenden Sie die Wörter im Kasten.

nach Paris fliegen	Eltern	Flugzeug	merken	Sohn vergessen haben
Kevin cleverer Junge	erst acht Jahre	findet nicht schlimm		hat jede Freiheit
kann fernsehen	abends nicht ins Bett müssen		aber wenig Freizeit	Diebe
ins Haus einsteigen wollen	Spiel	gefährliche Situation		Diebe gelernt haben
Kind	viel Ärger			

Kevin – Allein zu Haus
Eine Familie will in den Weihnachtsferien _____

_____

...

5. Ergänzen Sie.

Nach Übung
7
im Kursbuch

a) ● Kommt, Kinder, wir müssen jetzt gehen.
   ■ Eine halbe Stunde noch, bitte, der Film fängt gleich an. _____ freuen _____ doch immer so auf das Kinderprogramm.

b) ● Warum macht ihr nicht den Fernseher aus? Interessiert _____ _____ denn wirklich für das Gesundheitsmagazin?
   ■ Oh ja. Es ist immer sehr interessant.

c) ● Du, ärgere _____ _____ doch nicht über den Film!
   ■ Ach, _____ habe _____ sehr auf den Kriminalfilm gefreut, und jetzt ist er so schlecht.

d) ● Warum sind Klaus und Jochen denn nicht gekommen?
   ■ Sie sehen den Ski-Weltcup im Fernsehen. Ihr wisst doch, _____ interessieren _____ sehr für den Ski-Sport.

e) ● Was macht Marianne?
   ■ Sie sieht das Deutschland-Magazin. _____ interessiert _____ doch für Politik.

f) ● Will dein Mann nicht mitkommen?
   ■ Nein, er möchte unbedingt fernsehen. _____ freut _____ schon seit gestern auf den Spielfilm im zweiten Programm.

g) ● Siehst du jeden Tag die Nachrichten?
   ■ Natürlich, man muss _____ doch für Politik interessieren.

6. Ergänzen Sie.

Nach Übung
7
im Kursbuch

Die Verben im Kasten kennen Sie sicher schon, sie können oder müssen mit einem Reflexiv-pronomen verwendet werden.

vorstellen		anziehen	stellen	setzen
entscheiden	bewerben	waschen	duschen	legen

a) Hier sind deine Kleider. _____ kannst _____ selbst _____, du bist alt genug.
b) ● Willst du baden?
   ■ Nein, _____ möchte _____ lieber _____ . Das geht schneller.
c) ● Kauft ihr das Haus?
   ■ Wir wissen es noch nicht, _____ können _____ nicht _____ .
d) Susanne war sehr müde. _____ hat _____ aufs Sofa _____ und schläft ein bisschen. Bitte störe sie nicht!
e) _____ _____ _____ doch, Frau Lorenz! Der Platz hier ist frei.
f) Ich möchte ein Familienfoto machen. Bitte_____ _____ alle vor die Haustür.
g) Die neuen Nachbarn kenne ich noch nicht. _____ haben _____ noch nicht _____ .
h) Bitte geht ins Bad, Kinder. _____ müsst _____ noch _____ und die Zähne putzen.
i) Bettina hat _____ bei zehn Firmen _____ , aber sie hat keine Stelle bekommen.

7. Ihre Grammatik. Ergänzen Sie.

ich	du	er	sie	es	man	wir	ihr	sie	Sie
mich									

8. Verben und Präpositionen.

Die Verben kennen Sie schon, sie werden oft mit den folgenden Präpositionen gebraucht.

aufpassen	auf
freuen	
warten	

anrufen	bei
bewerben	
arbeiten	
informieren	
entschuldigen	

diskutieren	über
erzählen	
freuen	
lachen	
nachdenken	
schreiben	
weinen	
wissen	

| denken | an |
| glauben | |

spielen	mit
telefonieren	
sprechen	

ärgern	
beschweren	
aufregen	

| fragen | nach |
| suchen | |

vergleichen	
einverstanden sein	
aufhören	

| sprechen | |
| informieren | |

interessieren	für
brauchen	
entschuldigen	

Ergänzen Sie.

a) Ich kann mich nicht entscheiden. Ich muss _____ *d* _____ Sache noch einmal nachdenken.
b) Er sah wirklich komisch aus. Alle haben _____ _____ gelacht.
c) Ich komme in zwei Stunden wieder. Kannst du bitte _____ *d* _____ Kinder aufpassen?
d) Franz arbeitet schon zehn Jahre _____ *d* _____ gleichen Firma.
e) Ich habe gestern _____ *d* _____ Arzt gesprochen. Herbert ist bald wieder gesund.
f) Wenn Sie etwas _____ *d* _____ Fall wissen, müssen Sie es der Polizei erzählen.
g) Ich bin _____ *d* _____ Vertrag einverstanden. Er ist in Ordnung.
h) Was hat er dir _____ *d* _____ Unfall erzählt?
i) _____ *d* _____ Problem hat er mit mir nicht gesprochen.
j) Ich habe meine Kamera _____ *d* _____ Kamera von Klaus verglichen. Seine ist wirklich besser.
k) Sie hat nie Zeit. Sie interessiert sich nur _____ *ihr* _____ Beruf.
l) Bitte hör _____ *d* _____ Arbeit auf. Das Essen ist fertig.

9. Ihre Grammatik. Ergänzen Sie.

Nach Übung
7
im Kursbuch

	der Film	die Musik	das Programm	die Sendungen	
über	*den Film*				sprechen
sich über					ärgern
sich auf					freuen
sich für					interessieren

	der Plan	die Meinung	das Geschenk	die Antworten	
nach	*dem Plan*				fragen
mit					einverstanden sein

10. Ergänzen Sie.

Nach Übung
7
im Kursbuch

Sachen

wofür?	→ für …	→ dafür	womit?	→ mit …	→ damit
worauf?	→ auf …	→ darauf	worüber?	→ über …	→ darüber

a) ● Was machst du denn für ein Gesicht? ___*Worüber*___ ärgerst du dich?
   ■ Ach, _____ mein Auto. Es ist schon wieder kaputt.
   ● _____ musst du dich nicht ärgern. Du kannst meins nehmen.
b) ● _____ regst du dich so auf?
   ■ _____ meine Arbeitszeit. Ich muss schon wieder am Wochenende arbeiten.
   ● Warum regst du dich _____ auf? Such dir doch eine andere Stelle.
c) ● _____ interessierst du dich im Fernsehen am meisten?
   ■ _____ Sport.
   ● _____ interessiere ich mich nicht. Das finde ich langweilig.
d) ● _____ bist du nicht einverstanden?
   ■ _____ deinem Plan.
   ● _____ sind aber alle einverstanden, nur du nicht.
e) ● _____ freust du dich am meisten?
   ■ _____ unseren nächsten Urlaub.
   ● _____ freue ich mich auch.
f) ● _____ wartest du?
   ■ _____ einen Anruf.
   ● _____ kannst du noch lange warten. Das Telefon ist kaputt.

LEKTION 3

11. Ergänzen Sie.

Personen

mit wem?	→ mit …	→ mit *ihm, ihr, …*	auf wen?	→ auf …	→ auf *ihn, sie, …*
für wen?	→ für …	→ für *ihn, sie, …*	über wen?	→ über …	→ über *ihn, sie, …*

a) ● _Mit_ _wem_ hast du telefoniert?
   ■ _____ Frau Burger.
   ● Warum hast du mir das nicht gesagt?
     Ich wollte auch _____ _____ sprechen.

b) ● _____ _____ brauchst du das Geschenk?
   ■ _____ Paula und Bernd. Sie heiraten am Freitag.
   ● Mensch, das habe ich ganz vergessen. Ich brauche auch noch ein Geschenk _____
     _____ .

c) ● _____ _____ spielst du am liebsten?
   ■ _____ Doris.
   ● _____ _____ spiele ich auch sehr gerne. Sie ist eine gute Spielerin.

d) ● _____ _____ ärgerst du dich so?
   ■ _____ dich.
   ● _____ _____ ? Warum?
   ■ Du hast nicht eingekauft, obwohl du es versprochen hast.

e) ● _____ _____ wartest du?
   ■ _____ Konrad. Er wollte um 4 Uhr bei mir sein.
   ■ Das ist typisch, _____ _____ muss man immer warten. Er ist nie pünktlich.

12. Ihre Grammatik. Ergänzen Sie.

Präposition + Artikel + Nomen Präposition + Name/Person	Fragewort	Pronomen
über den Film (sprechen) über Marion	*worüber?* *über wen?*	*darüber* *über sie*
auf die Sendung (warten) auf Frau Oller		
für die Schule (brauchen) für meinen Sohn		
nach dem Weg (fragen) nach Thomas		
mit dem Ball (spielen) mit dem Kind		

13. Ihre Grammatik. Ergänzen Sie.

Nach Übung
7
im Kursbuch

a) Wofür interessiert Bettina sich am meisten?
b) Bettina interessiert sich am meisten für Sport.
c) Für Sport interessiert Bettina sich am meisten.
d) Am meisten interessiert Bettina sich für Sport.
e) Für Sport hat Bettina sich am meisten interessiert.

	Vorfeld	Verb$_1$	Subjekt	Ergänzung	Angabe	Ergänzung	Verb$_2$
a)	*Wofür*	*interessiert*	*Bettina*	*sich*	*am meisten?*		
b)	___						
c)	___						
d)	___						
e)	___						

14. Sie ist nie zufrieden.

Nach Übung
11
im Kursbuch

a) Sie macht jedes Jahr acht Wochen Urlaub, aber *sie würde gern noch mehr Urlaub machen.*

b) Sie hat zwei Autos, aber *sie hätte gern . . .* _____

c) Sie ist schlank, aber *sie wäre gern . . .* _____

d) Sie sieht jeden Tag vier Stunden fern, aber ...
e) Sie verdient sehr gut, aber ...
f) Sie hat drei Hunde, aber ...
g) Sie schläft jeden Tag zehn Stunden, aber ...
h) Sie ist sehr attraktiv, aber ...
i) Sie sieht sehr gut aus, aber ...
j) Sie spricht vier Sprachen, aber ...
k) Sie hat viele Kleider, aber ...
l) Sie ist sehr reich, aber ...
m) Sie kennt viele Leute, aber ...
n) Sie fährt oft Ski, aber ...
o) Sie geht oft einkaufen, aber ...
p) Sie weiß sehr viel über Musik, aber ...

Nach Übung

11

im Kursbuch

15. Was würden Sie raten?

a) Er ist immer sehr nervös.
   (weniger arbeiten)
   Es wäre gut, wenn er weniger arbeiten würde.

b) Ich bin zu dick. (weniger essen)
c) Petra ist immer erkältet. (wärmere Kleidung tragen)
d) Sie kommen immer zu spät zur Arbeit. (früher aufstehen)
e) Mein Auto ist oft kaputt. (sich ein neues Auto kaufen)
f) Meine Miete ist zu teuer. (sich eine andere Wohnung suchen)
g) Ich bin zu unsportlich. (jeden Tag 30 Minuten laufen)
h) Seine Arbeit ist so langweilig. (sich eine andere Stelle suchen)
i) Wir haben so wenig Freunde. (netter sein)

Nach Übung

11

im Kursbuch

16. Ihre Grammatik. Ergänzen Sie.

	ich	du	er/sie/ es/man	wir	ihr	sie	Sie
Indikativ	*gehe*	*gehst*					
Konjunktiv	*würde gehen*	*würdest gehen*					
Indikativ	*bin*						
Konjunktiv	*wäre*						
Indikativ	*habe*						
Konjunktiv	*hätte*						

Nach Übung

11

im Kursbuch

17. Was passt nicht?

a) schwer – schlimm – schlecht – wichtig
b) zufrieden sein – sauber sein – Lust haben – Spaß machen
c) Politiker – Lehrerin – Firma – Verkäufer – Arzt – Schauspielerin – Polizist – Sekretärin – Schüler – Beamter
d) Studium – Universität – Student – Schule – studieren
e) leicht – aber – denn – deshalb – trotzdem

18. Was passt?

Nach Übung

14

im Kursbuch

Kompromiss   raten   Himmel   Kunst

singen   Literatur   Hut

Glückwunsch   Radio   Mond   sich ärgern

a) hören : Musik / lesen : _____
b) wahr : Wissenschaft / schön : _____
c) lustig sein : sich freuen / böse sein : _____
d) hell : Sonne / dunkel : _____
e) Fuß : Schuhe / Kopf : _____
f) unten : Erde / oben : _____
g) Weihnachten : Fröhliche Weihnachten / Geburtstag: Herzlichen _____
h) keiner zufrieden : Streit / alle zufrieden : _____
i) tun : helfen / vorschlagen : _____
j) Klaviermusik : spielen / Lied : _____
k) sehen und hören : Fernsehen / nur hören : _____

19. Was wissen Sie über Gabriela? Schreiben Sie einen kleinen Text.

Nach Übung

16

im Kursbuch

Sie können die folgenden Informationen verwenden.

Gabriela, 20, Straßenpantomimin
zieht von Stadt zu Stadt, spielt auf Plätzen und Straßen
Leute mögen ihr Spiel, nur wenige regen sich auf
sammelt Geld bei den Leuten, verdient ganz gut, muss regelmäßig spielen
früher mit Helmut zusammen, auch Straßenkünstler, ihr hat das freie Leben gefallen
für Helmut Geld gesammelt, auch selbst getanzt
nach einem Krach Schnellkurs für Pantomimen gemacht
findet ihr Leben unruhig, möchte keinen anderen Beruf

20. „Hat", „hatte", „hätte", „ist", „war", „wäre" oder „würde"? Ergänzen Sie.

Nach Übung

16

im Kursbuch

Gabriela _____(a) Straßenpantomimin. Natürlich _____(b) sie nicht viel
Geld, aber wenn sie einen anderen Beruf _____(c), dann _____(d) sie
nicht mehr so frei. Früher _____(e) sie zusammen mit ihrem Freund gespielt. Sein
Name _____(f) Helmut, und er _____(g) ganz nett, aber sie
_____(h) oft Streit. Manchmal _____(i) das Leben einfacher, wenn
Helmut noch da _____(j). Im Moment _____(k) Gabriela keinen Freund.

Deshalb _____(l) sie oft allein, aber trotzdem _____(m) sie nicht wieder mit Helmut zusammen spielen. „Wir _____(n) doch nur wieder Streit", sagt sie. Gestern _____(o) Gabriela in Hamburg gespielt. „Da _____(p) ein Mann zu mir gesagt: ‚Wenn Sie meine Tochter _____(q), dann _____(r) ich Ihnen diesen Beruf verbieten', erzählt sie. Natürlich _____(s) Gabrielas Eltern auch glücklicher, wenn ihre Tochter einen „richtigen" Beruf _____(t). Es _____(u) ihnen lieber, wenn Gabriela zu Hause wohnen _____(v) oder einen Mann und Kinder _____(w). Aber Gabriela _____(x) schon immer ihre eigenen Ideen.

Nach Übung
16
im Kursbuch

21. Ergänzen Sie.

a) auf dem Kopf : Haare / im Gesicht : _____
b) Dollar : Cent / Euro : _____
c) wegfahren : Koffer packen / nach Hause kommen : Koffer _____
d) Museum : Ausstellung / Theater : _____
e) im Film spielen : Schauspieler / den Film sehen : _____
f) in der Arbeitszeit : arbeiten / in der Pause : _____
g) Fuß : Zehe / Hand : _____
h) Woche : Tage / Stunde : _____
i) ruhig : Ruhe / laut : _____
j) sich freuen : lachen / traurig sein : _____
k) Buch : schreiben / Bild : _____
l) Erdbeere : Pflanze / Apfel : _____

Nach Übung
16
im Kursbuch

22. Was passt?

nützen	Eingang/Ausgang	Ordnung	Qualität	Kaufhaus	feucht
öffentlich	Lautsprecher	Spezialität	möglich	regelmäßig	kaum

a) vielleicht, es könnte sein: _____
b) gut/schlecht machen, gute/schlechte Ware: _____
c) großes Geschäft, man kann alles kaufen: _____
d) hat nicht jeder, besonderes Produkt: _____
e) Haus, Geschäft, Tür, Tor: _____
f) Radio, Fernsehen, hören: _____
g) für alle, nicht privat: _____
h) jede Woche, jeden Tag, jeden Sonntag: _____
i) nicht ganz trocken: _____
j) gut für eine Person / eine Sache, Vorteile bringen: _____
k) sehr selten, fast nie: _____
l) alle Dinge haben einen festen Platz: _____

23. Was passt am besten?

Nach Übung
16
im Kursbuch

> verbieten   sich ausruhen   leihen   lachen
> sich beschweren   legen   laut sein   gernhaben

a) ruhig sein – _____
b) nicht mögen – _____
c) gut finden – _____
d) stellen – _____
e) kaufen – _____
f) die Erlaubnis geben – _____
g) weinen – _____
h) arbeiten – _____

24. Ergänzen Sie die Modalverben im Konjunktiv („sollt-", „müsst-", „könnt-", „dürft-").

Nach Übung
18
im Kursbuch

a) Sonja ist erst 8 Jahre alt. Eigentlich _____ sie den Kriminalfilm nicht sehen, aber sie tut es trotzdem, weil ihre Eltern nicht zu Hause sind.
b) Wenn Manfred mit der Schule aufhören würde, dann _____ er sofort arbeiten und Geld verdienen.
c) Wenn Manfred den Schulabschluss machen möchte, dann _____ er noch ein Jahr zur Schule gehen.
d) „Du _____ unbedingt deinen Schulabschluss machen", hat seine Mutter ihm geraten.
e) Manfred _____ vielleicht sogar auf das Gymnasium gehen, wenn er den Realschulabschluss machen würde.
f) Wenn Vera nicht bei ihren Eltern wohnen _____ , dann hätte sie große Probleme, weil sie dann eine eigene Wohnung mieten _____ .
g) Anita möchte die Stelle in Offenbach nicht nehmen, weil sie dann jeden Tag 35 Kilometer zur Arbeit fahren _____ .
h) Auf dem Rathausplatz in Hamburg _____ Gabriela eigentlich nicht spielen, aber sie tut es trotzdem.

25. Ihre Grammatik. Ergänzen Sie.

Nach Übung
18
im Kursbuch

	ich	du	er/sie/ es/man	wir	ihr	sie	Sie
müssen	müsste						
dürfen							
können							
sollen							

Wortschatz

Verben

abholen 50
abmelden 54
anmelden 54
arbeiten 53
ausgeben 56
bedienen 54
bekommen 55
beraten 54
bezahlen 55

brauchen 49
bringen 52
einkaufen 56
erklären 54
funktionieren 49
kaufen 55
kontrollieren 54
kosten 51
leisten 55

machen 51
passen 50
passieren 49
pflegen 54
prüfen 50
reichen 56
reparieren 51
schlafen 55
schneiden 52

sorgen 55
tanken 51
überzeugen 51
verbrauchen 49
verkaufen 53
verlieren 50
versuchen 50
warnen 55
wechseln 50

Nomen

s Abendessen, - 55
e Arbeit, -en 53
r Arbeiter, - 52
r Arbeitnehmer, - 54
r Artikel, - 54
s Auto, -s 48
e Batterie, -n 54
s Benzin 48
e Bremse, -n 49
s Büro, -s 54
e Chance, -n 54
r Dank 50
r Diesel 54
r Donnerstag 50
e Eheleute (Plural) 55
s Europa 54
r Freitag 50
s Gas 54

s Geld 55
e Geschwindigkeit, -en 48
s Gewicht 48
s Haus, ¨er 55
r Haushalt 56
e Heizung, -en 57
e Information, -en 54
s Jahr, -e 48
e Kasse, -n 54
r Kilometer, - 48
r Kofferraum, ¨e 48
e Konkurrenz 54
r Kredit, -e 57
r Kunde, -n 54
e Lampe, -n 53
e Länge 48
r Lastwagen, - 52

r Liter, - 48
r Lohn, ¨e 57
e Maschine, -n 53
s Material, -ien 52
r Mechaniker, - 49
r Meister, - 54
r Motor, -en 48
s Öl 49
e Panne, -n 49
r Prospekt, -e 49
s Rad, ¨er 52
r Reifen, - 49
e Reparatur, -en 48
e Situation, -en 56
r Spiegel, - 49
e Steuer, -n 48
r Strom 57
e Summe, -n 57

e Tankstelle, -n 49
e Überweisung, -en 57
r Unfall, ¨e 49
r Unterricht 54
r Urlaub 55
r Verkäufer, - 49
r Verkehr 54
e Versicherung, -en 48
e Verzeihung 51
r Vorname, -n 56
s Wasser 57
e Werkstatt, ¨en 50
e Wohnung, -en 56
e Zeitschrift, -en 54
r Zug, ¨e 52
r Zuschlag, ¨e 57

Adjektive

automatisch 52
bequem 49
billig 48
direkt 54
durchschnittlich 48
eigen 55

einfach 51
früh 52
geöffnet 54
hoch 48
kaputt 49
kompliziert 53

langsam 48
niedrig 48
normal 54
preiswert 48
schwach 48
technisch 54

teuer 48
verschieden 54
wahr 51

Adverbien

danach 52	montags 56	plus 55	zuerst 52
dienstags 56	morgen 50	vormittags 55	
links 50	nachmittags 55	vorne 50	

Funktionswörter

daraus 52	rund um 54	vor 55	wenig 48
pro 55	statt 51	was 49	wie viel 56

Ausdrücke

eine Frage stellen 56	Erfolg haben 54	frei haben 55	recht haben 51
	es geht 54	noch einmal 52	wie lange 56

Grammatik

Steigerung des Adjektivs (§ 7 und 8)

	klein	der	kleine	Wagen	der	schwache	Motor
	kleiner	der	kleinere	Wagen	der	schwächere	Motor
am	kleinsten	der	kleinste	Wagen	der	schwächste	Motor

Unregelmäßige Steigerungsformen: Themen aktuell 1, Kursbuch Seite 137!
Adjektivendungen: Seite 6

Passiv (§ 21)

Man braucht mich.	Ich	werde	gebraucht.
Ich frage dich.	Du	wirst	gefragt.
Die Maschine schneidet das Blech.	Das Blech	wird	geschnitten.
Die Firma stellt uns ein.	Wir	werden	eingestellt.
Man bezahlt euch gut.	Ihr	werdet	gut bezahlt.
Arbeiter montieren die Lampen.	Die Lampen	werden	montiert.

	Vorfeld	Verb$_1$	Subj.	Angabe	Ergänzung	Verb$_2$
Aktiv:	Arbeiter (= Subjekt)	montieren			die Lampen. (= Akk.-Erg.)	
Passiv:	Die Lampen (= Subjekt)	werden		von Arbeitern		montiert.

Nach Übung

1

im Kursbuch

1. Was passt wo?

| Benzinverbrauch | Geschwindigkeit | Leistung | Länge |
| Gewicht | | Kosten | Alter |

a) Kilowatt, PS: _____
b) Euro: _____
c) Jahre: _____
d) Kilogramm, Gramm: _____

e) Meter, Zentimeter: _____
f) Kilometer in der Stunde: _____
g) Liter auf 100 Kilometer: _____

Nach Übung

1

im Kursbuch

2. Wie heißt das Gegenteil?

| schwer | | | | | | stark | |
| | viel | preiswert/billig | klein | niedrig/tief | leise | schnell | lang |

a) langsam – _____
b) groß – _____
c) laut – _____

d) kurz – _____
e) hoch – _____
f) teuer – _____

g) wenig – _____
h) schwach – _____
i) leicht – _____

Nach Übung

2

im Kursbuch

3. Ergänzen Sie.

**Der neu_____ Gaudi 26:
Ihr Auto für die
Zukunft!**

Sein stärker_____ Motor, seine
höher_____ Geschwindigkeit, sein
größer_____ Kofferraum (430
Liter), seine breiter_____ Türen,
seine bequemer_____ Sitzplätze –
das sind nur einige Argumente. Aber
er hat nicht nur einen stärker_____ ,
sondern auch einen sauberer_____
Motor durch den neu_____ ,
besser_____ 3-Wege-Katalysator. Der niedriger_____ Benzinverbrauch bedeutet auch: niedri-
ger_____ Kosten. Der neu_____ Gaudi 26 gibt Ihnen größer_____ Sicherheit durch Airbag, ABS
und das Gaudi-Sicherheitssystem R.E.U.S.

**Gaudi 26 – die moderner_____ Technik –
Gaudi 26 – das besser_____ Auto!**

4. Ihre Grammatik. Ergänzen Sie.

Nach Übung

3

im Kursbuch

	a)	b)
Nominativ	Das ist … … der _höchste_ Verbrauch. … die _höch_____ Geschwindigkeit. … das _höch_____ Gewicht. Das sind die _höch_____ Kosten.	Das ist… … ein _niedriger_____ Verbrauch. … eine _nied_____ Geschwindigkeit. … ein _____ Gewicht. Das sind _____ Kosten.
Akkusativ	Dieser Wagen hat … … den _____ Verbrauch. … die _____ Geschwindigkeit. … das _____ Gewicht. … die _____ Kosten.	Dieser Wagen hat … … einen _____ Verbrauch. … eine _____ Geschwindigkeit. … ein _____ Gewicht. … _____ Kosten.
Dativ	Das ist der Wagen mit… … dem _____ Verbrauch. … der _____ Geschwindigkeit. … dem _____ Gewicht. … den _____ Kosten.	Es gibt einen Wagen mit … … einem _____ Verbrauch. … einer _____ Geschwindigkeit. … einem _____ Gewicht. … _____ Kosten.

5. „Wie" oder „als"? Ergänzen Sie.

Nach Übung

3

im Kursbuch

a) Den Polo finde ich besser _____ den Mini.

b) Der Citroën fährt fast so schnell _____ der Mercedes.

c) Der Citroën hat einen genauso starken Motor _____ der Mercedes.

d) Der Polo verbraucht weniger Benzin _____ der Citroën.

e) Der Polo hat einen fast so großen Kofferraum _____ der Citroën.

f) Es gibt keinen günstigeren Kleinwagen _____ den Polo.

g) Kennen Sie einen schnelleren Kleinwagen _____ den Mini Cooper?

h) Der Citroën kostet genauso viel Steuern _____ der Mercedes.

6. Sagen Sie es anders.

Nach Übung

4

im Kursbuch

a) Man hat mir gesagt, das neue Auto verbraucht weniger Benzin. Aber das stimmt nicht.
   Das neue Auto verbraucht mehr Benzin, als man mir gesagt hat.

b) Man hat mir gesagt, das neue Auto verbraucht weniger Benzin. Das stimmt wirklich.
   Das neue Auto verbraucht genauso wenig Benzin, wie man mir gesagt hat.

c) Du hast gesagt, die Kosten für einen Renault sind sehr hoch. Du hattest recht.

d) Der Autoverkäufer hat uns gesagt, der Motor ist erst 25 000 km gelaufen. Aber das ist falsch. Der Motor ist viel älter.

e) Im Prospekt steht, der Wagen fährt 150 km/h. Aber er fährt schneller.

f) In der Anzeige schreibt Renault, der Wagen fährt 155 km/h. Das stimmt.

g) Der Autoverkäufer hat mir erzählt, den Wagen gibt es nur mit einem 65-PS-Motor. Aber es gibt ihn auch mit einem schwächeren Motor.

h) Früher habe ich gemeint, Kleinwagen sind unbequem. Aber jetzt finde ich das nicht mehr.

LEKTION 4

Nach Übung

6

im Kursbuch

7. Was passt nicht?

a) Auto: einsteigen, fahren, gehen, aussteigen
b) Schiff: schwimmen, fließen, segeln, fahren
c) Flugzeug: fahren, fliegen, einsteigen, steuern
d) Spaziergang: gehen, wandern, laufen, fahren
e) Fahrrad: fahren, klingeln, hinfallen, gehen

Nach Übung

7

im Kursbuch

8. Ergänzen Sie.

| Batterie | Bremsen | Unfall | Panne | Lampe |
| Werkzeug | Reifen | Spiegel | Benzin | Werkstatt |

a) Wenn der Tank leer ist, braucht man _____ .
b) Eine _____ ist kaputt, deshalb funktioniert das Fahrlicht nicht.
c) Ich kann die Bremsen nicht prüfen. Mir fehlt das richtige _____ .
d) Ich kann hinter mir nichts sehen, der _____ ist kaputt.
e) Oh Gott! Ich kann nicht mehr anhalten! Die _____ funktionieren nicht.
f) Wir können nicht mehr weiterfahren; wir haben eine _____ .
g) Der Wagen hat zu wenig Luft in den _____ ; das ist gefährlich.
h) Der Motor startet nicht. Vielleicht ist die _____ leer.
i) Jetzt ist mein Wagen schon seit drei Tagen in der _____ und er ist immer noch nicht fertig.
j) Die Tür vorne rechts ist kaputt, weil ich einen _____ hatte.

Nach Übung

7

im Kursbuch

9. Was kann man nicht sagen?

a) Ich muss meinen Wagen | *waschen.*
tanken.
baden.
abholen.
parken.

d) Ist der Wagen | *preiswert?*
blau?
fertig?
blond?
neu?

b) Der Tank ist | *kaputt.*
schwierig.
leer.
voll.
groß.

e) Das Auto | *verliert* | *Öl.*
braucht
hat genug
verbraucht
nimmt

c) Ich finde, der Motor läuft | *zu langsam.*
sehr gut.
nicht richtig.
zu schwierig.
sehr laut.

f) Mit diesem Auto können Sie | *gut laufen.*
schnell fahren.
gut parken.

10. „Gehen" hat verschiedene Bedeutungen.

Nach Übung

9

im Kursbuch

A. Als Frau alleine Straßentheater machen – das *geht* doch nicht!
   (Das soll man nicht tun. Das ist nicht normal.)
B. Das Fahrlicht *geht* nicht.
   (Etwas ist kaputt oder funktioniert nicht.)
C. Können Sie bis morgen mein Auto reparieren? *Geht* das?
   (Ist das möglich?)
D. Wie *geht* es dir?
   (Bist du gesund und zufrieden? Hast du Probleme?)
E. Warum willst du mit dem Auto fahren? Wir können doch *gehen*.
   (zu Fuß gehen, laufen, nicht fahren)
F. Inge ist acht Jahre alt. Sie *geht* seit zwei Jahren zur Schule.
   (die Schule oder die Universität oder einen Kurs besuchen)
G. Wir *gehen* oft ins Theater. / Wir *gehen* jeden Mittwoch schwimmen.
   (zu einem anderen Ort gehen oder fahren und dort etwas tun)

Welche Bedeutung hat „gehen" in den folgenden Sätzen?

1. Meiner Kollegin geht es heute nicht so gut. Sie hat Kopfschmerzen.
2. Geht ihr heute Abend ins Kino?
3. Kann ich heute bei dir fernsehen? Mein Gerät geht nicht.
4. Wenn man Chemie studieren will, muss man 5 bis 6 Jahre zur Universität gehen.
5. Geht das Radio wieder?
6. Gaby trägt im Büro immer so kurze Röcke. Ich finde, das geht nicht.
7. Ich gehe heute Nachmittag einkaufen.
8. Warum gehst du denn so langsam?
9. Wie lange gehst du schon in den Deutschkurs?
10. Max trinkt immer meine Milch. Das geht doch nicht!
11. Geht es Ihrer Mutter wieder besser?
12. Ich möchte kurz mit Ihnen sprechen. Geht das?
13. Ich gehe lieber zu Fuß. Das ist gesünder.
14. Sie wollen mit dem Chef sprechen? Das geht leider nicht.

LEKTION 4

Nach Übung

9

im Kursbuch

11. Schreiben Sie einen Dialog.

> Ja, da haben Sie recht, Frau Becker. Na gut, wir versuchen es, vielleicht geht es ja heute doch noch.
> Mein Name ist Becker. Ich möchte meinen Wagen bringen.
> Nein, das ist alles. Wann kann ich das Auto abholen?
> Morgen Nachmittag erst? Aber gestern am Telefon haben Sie mir doch gesagt, Sie können es heute noch reparieren.
> Das interessiert mich nicht. Sie haben es versprochen!
> Morgen Nachmittag.
> Die Bremsen ziehen immer nach rechts, und der Motor braucht zu viel Benzin.
> Es tut mir leid, Frau Becker, aber wir haben so viel zu tun. Das habe ich gestern nicht gewusst.
> Noch etwas?
> Ach ja, Frau Becker. Sie haben gestern angerufen. Was ist denn kaputt?

● _Mein Name ist Becker. Ich möchte meinen Wagen bringen._

■ _____

● ...

Nach Übung

11

im Kursbuch

12. Was passt wo? (Einige Wörter passen zu mehr als einem Verb.)

Pullover	Kuchen	~~Wagen~~	Brief	Benzin	Brille	~~Öl~~
Hände	Brot	Führerschein	Bart	Haare	Geld	Kind	Auto
Wurst	~~Blech~~	Gemüse	Hemd	Papier	Hals	Fleisch

verlieren	schneiden	waschen
_Öl_	_Blech_	_Wagen_

13. Arbeiten in einer Autowerkstatt. Was passiert hier? Schreiben Sie.

Nach Übung

11

im Kursbuch

Radio montieren	Bremsen prüfen	reparieren	waschen	nicht arbeiten	tanken
sauber machen	Rechnung bezahlen	schweißen	Öl prüfen	wechseln	~~abholen~~

a) *Hier wird ein Auto abgeholt.*

b) _____

c) _____

d) _____

e) _____

f) _____

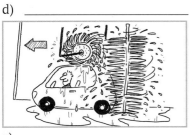

g) _____

h) _____

i) _____

j) _____

k) _____

l) _____

14. Ihre Grammatik. Ergänzen Sie.

Nach Übung

11

im Kursbuch

ich	du	Sie	er/sie/es/man	wir	ihr	sie/Sie
werde abgeholt	w					

15. Familie Sommer: Was wird von wem gemacht?

a) Kinder wecken (Vater)   *Die Kinder werden vom Vater geweckt.*

b) Kinder anziehen (Mutter)   _____

c) Frühstück machen (Vater)   _____

d) Kinder zur Schule bringen (Vater) _____

e) Geschirr spülen (Geschirrspüler) _____

f) Wäsche waschen (Waschmaschine)   _____

g) Kinderzimmer aufräumen (Kinder) _____

h) Hund baden (Kinder)   _____

i) Kinder ins Bett bringen (V. und M.) _____

j) Wohnung putzen (Vater)   _____

k) Essen kochen (Vater)   _____

l) Geld verdienen (Mutter)   _____

16. Ihre Grammatik. Ergänzen Sie.

a) Die Karosserien werden von Robotern geschweißt.

b) Roboter schweißen die Karosserien.

c) Morgens wird das Material mit Zügen gebracht.

d) Züge bringen morgens das Material.

e) Der Vater bringt die Kinder ins Bett.

f) Die Kinder werden vom Vater ins Bett gebracht.

	Vorfeld	Verb$_1$	Subjekt	Ergänzung	Angabe	Ergänzung	Verb$_2$
a)	*Die Karosserien*	*werden*			*von Robotern*		*geschweißt.*
b)							
c)							
d)							
e)							
f)							

17. Was können Sie auch sagen?

Nach Übung
11
im Kursbuch

a) *Die schweren Arbeiten werden von Robotern gemacht.*
- A Die Roboter machen die Arbeit schwer.
- B Die schweren Roboter werden nicht von Menschen gemacht.
- C Die Roboter machen die schweren Arbeiten.

b) *In unserer Familie wird viel gesungen.*
- A In unserer Familie singen wir oft.
- B Unsere Familie singt immer.
- C Unsere Familie singt meistens hoch.

c) *Worüber wird morgen im Deutschkurs gesprochen?*
- A Mit wem sprechen wir morgen im Deutschkurs?
- B Spricht morgen jemand im Deutschkurs?
- C Über welches Thema sprechen wir morgen im Deutschkurs?

d) *Kinder werden nicht gerne gewaschen.*
- A Keiner wäscht die Kinder.
- B Kinder mögen es nicht, wenn man sie wäscht.
- C Kinder wäscht man meistens nicht.

e) *Wird der Wagen zu schnell gefahren?*
- A Fährt der Wagen zu schnell?
- B Ist der Wagen meistens sehr schnell?
- C Fahren Sie den Wagen zu schnell?

f) *In Deutschland wird viel Kaffee getrunken.*
- A Man trinkt viel Kaffee, wenn man in Deutschland ist.
- B Wenn man viel Kaffee trinkt, ist man oft in Deutschland.
- C Die Deutschen trinken viel Kaffee.

18. Berufe rund ums Auto

Nach Übung
12
im Kursbuch

a) Ordnen Sie zu.

A.	Ein Autoverkäufer	B.	Ein Tankwart	C.	Eine Berufskraftfahrerin

1	bekommt Provisionen.		7	ist oft von der Familie getrennt.
2	fährt täglich 500 bis 700 Kilometer.		8	muss auch Büroarbeit machen.
3	hat keine leichte Arbeit.		9	muss auch technische Arbeiten machen.
4	hat oft unregelmäßige Arbeitszeiten.		10	muss immer pünktlich ankommen.
5	ist meistens an der Kasse.		11	verkauft Autos.
6	kann Kredite und Versicherungen besorgen.		12	verkauft Benzin, Autozubehörteile und andere Artikel.

b) Schreiben Sie drei Texte im Konjunktiv II.

A. *Wenn ich Autoverkäufer wäre, würde ich Pr ...*   *Ich ...   und ...*

B. *Wenn ich Tank...*

C. *Wenn ...*

Nach Übung

12

im Kursbuch

19. Setzen Sie die Partizipformen ein.

a) (anrufen)   ● Hast du schon die Werkstatt _____ ?
          ■ Ich werde von der Werkstatt _____ .

b) (reparieren)   ● Hat der Mechaniker das Auto _____ ?
          ■ Nein, das Auto wird später _____ .

c) (aufmachen)   ● Hat die Tankstelle schon _____ ?
          ■ Nein, sie wird erst um 9 Uhr _____ .

d) (versorgen)   ● Hat Thomas die Kinder _____ ?
          ■ Die Kinder werden von Brigitte _____ .

e) (bedienen)   ● Hat man dich schon _____ ?
          ■ Nein, hier wird man nicht gut _____ .

f) (verkaufen)   ● Hast du dein Auto _____ ?
          ■ Nein, das wird nicht _____ .

g) (wechseln)   ● Hat Martin die Reifen _____ ?
          ■ Nein, die Reifen werden von der Werkstatt _____ .

h (beraten)   ● Hat man dich hier gut _____ ?
          ■ Ja, hier wird man gut _____ .

i) (anmelden)   ● Hast du deinen neuen Wagen _____ ?
          ■ Der wird von der Autofirma _____ .

j) (besorgen)   ● Hast du dir einen Kredit _____ ?
          ■ Der wird mir vom Autoverkäufer _____ .

k) (pflegen)   ● Hast du dein Auto immer gut _____ ?
          ■ Das wird von meinem Bruder _____ .

l) (montieren)   ● Hast du das Autoradio _____ ?
          ■ Nein, das wird vom Mechaniker _____ .

m) (kontrollieren)   ● Hat Herr Meyer die Kasse _____ ?
          ■ Die wird von Herrn Müller _____ .

n) (vorbereiten)   ● Haben Sie die Reparatur _____ ?
          ■ Die wird vom Meister _____ .

o) (zurückgeben)   ● Hat man dir das Geld _____ ?
          ■ Nein, das wird nicht _____ .

p) (einschalten)   ● Haben Sie das Fahrlicht _____ ?
          ■ Nein, das wird noch nicht _____ .

q) (bezahlen)   ● Hast du die Rechnung schon _____ ?
          ■ Nein, die wird auch nicht _____ .

r) (kündigen)   ● Hast du die Versicherung _____ ?
          ■ Nein, die wird auch nicht _____ .

s) (schreiben)   ● Haben Sie die Rechnung _____ ?
          ■ Die wird doch vom Computer _____ .

t) (liefern)   ● Hat man schon die neuen Teile _____ ?
          ■ Nein, die werden morgen mit der Bahn _____ .

20. Wo arbeiten diese Leute?

Nach Übung
13
im Kursbuch

Sekretär(in)	Roboter	Tankwart(in)	Autoverkäufer(in)	Meister(in)
Facharbeiter(in)	Mechaniker(in)		Schichtarbeiter(in)	Buchhalter(in)
Fahrlehrer(in)		Taxifahrer(in)		Berufskraftfahrer(in)

a) im Auto:

_____ , _____ , _____

b) im Autogeschäft:

_____ , _____ , _____

c) an der Tankstelle / in der Werkstatt:

_____ , _____ , _____

d) in der Autofabrik:

_____ , _____ , _____

21. Ergänzen Sie.

Nach Übung
14
im Kursbuch

a) Franziska ist _____ Jürgen verheiratet.
b) Jürgen arbeitet seit 11 Jahren _____ einer Autoreifenfabrik.
c) Er sorgt _____ die Kinder und macht das Abendessen.
d) Die Arbeit ist nicht gut _____ das Familienleben.
e) Jürgen ist _____ seinem Gehalt zufrieden.
f) _____ Überstunden bekommt er 25% extra.
g) Arbeitspsychologen warnen _____ Schichtarbeit.
h) Da bleibt wenig Zeit _____ Gespräche.
i) Hier findet man Informationen _____ die wichtigsten Berufe.
j) Berufskraftfahrer sind oft mehrere Tage _____ ihrer Familie getrennt.
k) Der Beruf des Automechanikers ist _____ Jungen sehr beliebt.
l) Fahrlehrer bereiten die Fahrschüler _____ die Führerscheinprüfung vor.
m) _____ Selbstständiger verdient man mehr.

von	mit
	vor
	für
über	
auf	als
	in

22. Was passt nicht?

Nach Übung
14
im Kursbuch

a) Job – Beruf – Hobby – Arbeit
b) Frühschicht – Feierabend – Nachtschicht – Überstunden
c) Industrie – Arbeitgeber – Arbeitnehmer – Angestellter
d) Feierabend – Wochenende – Urlaub – Arbeitszeit
e) Urlaubsgeld – Gehalt – Haushalt – Stundenlohn
f) Firma – Kredit – Betrieb – Fabrik

Nach Übung

15

im Kursbuch

23. Ein Interview mit Norbert Behrens. Schreiben Sie die Fragen.

● *Herr Behrens, was sind ...* _____

■ Ich bin Taxifahrer.

● _____

■ Nein, ich arbeite für ein Taxiunternehmen.

● _____

■ Ich bin jetzt 27.

● _____

■ Ich habe eigentlich immer Nachtschicht, das heißt, ich arbeite von 20 bis 7 Uhr.

● _____

■ Naja, nach dem Frühstück, also zwischen 8 und 14 Uhr.

● _____

■ Nein, das finde ich nicht so schlimm. Wenn ich nur am Tag besser schlafen könnte.

● _____

■ Weil der Straßenlärm mich stört.

● _____

■ Sie ist Krankenschwester.

● _____

■ Einen Sohn, er ist 4 Jahre alt.

● _____

■ Sie arbeitet nur morgens, zwischen 8 und 13 Uhr.

● _____

■ Da sind wir beide zu Hause. Dann machen wir gemeinsam den Haushalt, spielen mit dem Kind, oder wir gehen einkaufen.

● _____

■ Weil wir sonst nicht genug Geld haben. Außerdem möchte ich ein eigenes Taxi kaufen und mich selbstständig machen.

Nach Übung

15

im Kursbuch

24. Wie heißt das Gegenteil?

wach	allein	gleich	leer	sauber	mehr	selten	zusammen	ruhig

a) nervös – _____

b) getrennt – _____

c) schmutzig – _____

d) oft – _____

e) müde – _____

f) voll – _____

g) weniger – _____

h) gemeinsam – _____

i) unterschiedlich – _____

25. Was passt?

Nach Übung
17
im Kursbuch

Kredit Haushaltsgeld Rentenversicherung Schichtarbeit Lohn Steuern
Arbeitslosenversicherung Krankenversicherung Überstunden Gehalt

a) Wenn man mehr Stunden am Tag arbeitet, als man sonst muss, macht man

_____ .

b) Wenn man krank ist, möchte man Medikamente und Arztkosten nicht selbst bezahlen.
Deshalb hat man eine _____ .

c) Wenn man nicht regelmäßig arbeitet, also mal am Tag und mal nachts, macht man

_____ .

d) Ein Arbeiter bekommt für seine Arbeit einen _____ .

e) Ein Angestellter bekommt für seine Arbeit ein _____ .

f) Wenn man seine Arbeit verloren hat, bekommt man Geld von der _____ .

g) Für die Kosten im Haushalt und in der Familie braucht man _____ .

h) Wenn man sich Geld leiht, hat man einen _____ .

i) Herr Meier arbeitet nicht mehr. Deshalb bekommt er jetzt Geld von der _____ .

j) Der Bruttolohn ist der Nettolohn plus Versicherungen und _____ .

26. Was sehen Sie?

Nach Übung
17
im Kursbuch

a) Autobahn _____
b) Autounfall _____
c) Autozug _____
d) Unfallauto _____

e) Automechaniker _____
f) Autowerkstatt _____
g) Lastwagen _____
h) Werkstattauto _____

Wortschatz

Verben

anrufen 62
aufpassen 71
aufräumen 62
aufstehen 71
ausmachen 62
berichten 66
denken über 64
duschen 62
einladen 61
entschuldigen 61
erziehen 67

essen 60
fernsehen 65
fühlen 69
glauben 64
hängen 62
hassen 61
heiraten 63
heißen 64
hoffen 63
kochen 61
kümmern 67

langweilen 69
leben 63
lieben 63
meinen 64
putzen 71
rauchen 60
sagen 63
schimpfen 65
schlagen 67
schmecken 60
schwimmen 71

setzen 65
sparen 62
spazieren gehen 65
sterben 68
streiten 62
telefonieren 62
töten 64
trinken 66
unterhalten 61
wecken 62

Nomen

r Alkohol 61
e Angst, ¨e 62
s Baby, -s 63
e Beamtin, -nen 63
e/r Bekannte, -n (ein
   Bekannter) 61
r Besuch, -e 66
r Chef, -s 61
e Diskothek, -en 64
e Ehe, -n 63
e Ehefrau, -en 64
s Ehepaar, -e 63
e Eltern (Plural) 63
e Erziehung 69
s Essen 65
e Familie, -n 67

r Fehler, - 65
r Fernseher, - 62
e Flasche, -n 65
e Frau, -en 63
r Freund, -e 64
e Freundin, -nen 64
r Geburtstag, -e 62
s Gesetz, -e 69
s Gespräch, -e 62
e Großeltern (Plural)
   67
e Großmutter, ¨ 71
r Großvater, ¨ 71
r Herr, -en 67
r Ingenieur, -e 64
e Jugend 69

s Kind, -er 62
e Kleider (Plural) 62
e Küche, -n 62
r Kühlschrank, ¨e 65
e Laune, -n 61
s Leben 63
s Mädchen, - 70
s Menü, -s 66
e Mutter, ¨ 62
r Nachbar, -n 61
r Neffe, -n 71
e Nichte, -n 71
r Onkel, - 71
s Paar, -e 63
e Pause, -n 61
s Prozent, -e 63

e Ruhe 65
r Salat, -e 65
r Schrank, ¨e 62
e Schwester, -n 61
r Sohn, ¨e 71
e Soße, -n 65
e Tante, -n 71
e U-Bahn, -en 64
r Unsinn 64
e Untersuchung, -en
   63
s Urteil, -e 64
r Vater, ¨ 65
s Viertel, - 66
r Wunsch, ¨e 70

Adjektive

aktiv 60
allein 66
ärgerlich 66
beruflich 63
besetzt 62
dauernd 61

deutlich 69
doof 61
frei 70
früher 67
glücklich 64
höflich 61

kritisch 70
ledig 66
neugierig 61
spät 60
still 65
überzeugt 64

unbedingt 68
unfreundlich 60
unmöglich 69
verheiratet 66

Adverbien

damals 70	jetzt 63	schließlich 68	weg- 65
gern 64	manchmal 61	sofort 63	zurück- 68

Funktionswörter

auf 64	entweder ... oder ...	für 60	über 61
dass 63	65	mit- 61	um 63

Ausdrücke

dagegen sein 64	klar sein 63	schlechte Laune	Sport treiben 71
frei sein 63	nach Hause 62	haben 61	zu Hause 70
immer nur 65	na ja 64	sich wohlfühlen 65	

Grammatik

Infinitivsatz mit „zu" (§ 30)

Ich habe keine Zeit	für Sabine.	Ich habe keine Zeit	Sabine zu helfen.
Ich habe keine Zeit	für sie.	Ich habe keine Zeit	dafür.

Ich möchte ihm helfen,	eine Frau zu finden.
Wir haben keine Lust,	täglich acht Stunden zu arbeiten.
Er hat vergessen	anzurufen.
Warum versucht ihr nicht	abzunehmen?
Hast du Zeit,	mir diesen Satz zu erklären?

Nebensatz mit „dass" (§ 25)

Ich finde,	dass junge Eltern ihre Kinder besser erziehen können.
Mein Vater sagt,	dass er das nicht glaubt.
Wir hoffen,	dass wir noch Karten für das Konzert bekommen.

Präteritum (§ 19)

Schwache und unregelmäßige Verben		*Starke Verben*	
ich sagte	ich wartete	ich ging	ich fand
du sagtest	du wartetest	du gingst	du fandest
er sagte	er wartete	er ging	er fand
wir sagten	wir warteten	wir gingen	wir fanden
ihr sagtet	ihr wartetet	ihr gingt	ihr fandet
sie sagten	sie warteten	sie gingen	sie fanden
Sie sagten	Sie warteten	Sie gingen	Sie fanden

Nach Übung

1

im Kursbuch

1. Herr X ist unzufrieden. Er will anfangen, besser zu leben. Was sagt Herr X?

Obst essen	Eltern besuchen	spazieren gehen	Blumen gießen
schlafen gehen	Rechnungen bezahlen	eine Krawatte anziehen	kochen
Sport treiben	täglich duschen	arbeiten	eine Fremdsprache lernen
fernsehen	Schuhe putzen	ein Gartenhaus bauen	Zeitung lesen
Bier trinken	zum Zahnarzt gehen	billiger einkaufen	Maria Blumen mitbringen
Geld ausgeben	lügen	Fahrrad fahren	Briefe schreiben
Wohnung aufräumen	aufstehen	frühstücken	telefonieren

mehr	besser		nicht mehr		früher	
weniger	immer	regelmäßig		schneller		öfter

Morgen fange ich an, mehr Obst zu essen.
Morgen fange ich an, früher …

Nach Übung

1

im Kursbuch

2. Ihre Grammatik. Ordnen Sie.

anfangen	bleiben	fragen	lesen	studieren
anrufen	buchstabieren	frühstücken	malen	tanken
antworten	denken	gehen	nachdenken	tanzen
arbeiten	diskutieren	gewinnen	packen	telefonieren
aufhören	duschen	heiraten	parken	überlegen
aufpassen	einkaufen	helfen	putzen	verlieren
aufräumen	einpacken	kämpfen	reden	vergleichen
aufstehen	einschlafen	klingeln	reisen	vorbeikommen
auspacken	einsteigen	kochen	schlafen	wählen
ausruhen	erzählen	kontrollieren	schreiben	wandern
aussteigen	essen	korrigieren	schwimmen	waschen
ausziehen	fahren	kritisieren	schwitzen	wegfahren
baden	feiern	lachen	singen	weinen
bestellen	fernsehen	laufen	sitzen	zeichnen
bezahlen	fliegen	leben	spielen	zuhören
bitten	fotografieren	lernen	sterben	zurückgeben

untrennbare Verben	trennbare Verben
Ich habe keine Lust …	Ich habe keine Lust …
zu antworten.	*anzufangen.*
zu …	*anzurufen.*
	…

3. **Was findet man gewöhnlich bei anderen Menschen positiv oder negativ? Ordnen Sie die Wörter und schreiben Sie das Gegenteil daneben.**

Nach Übung
2
im Kursbuch

a) attraktiv	d) schmutzig	g) laut	j) freundlich	m) pünktlich	p) verrückt
b) treu	e) langweilig	h) sportlich	k) hässlich	n) dumm	q) zufrieden
c) ehrlich	f) höflich	i) sympathisch	l) traurig	o) nervös	

```
        +                    –                         +                    –
a)  attraktiv          unattraktiv         j)  _____      _____
b)  _____        _____         k)  _____      _____
c)  _____        _____         l)  _____      _____
d)  _____        _____         m)  _____      _____
e)  _____        _____         n)  _____      _____
f)  _____        _____         o)  _____      _____
g)  _____        _____         p)  _____      _____
h)  _____        _____         q)  _____      _____
i)  _____        _____
```

4. **Ergänzen Sie.**

Nach Übung
2
im Kursbuch

Ich mag ...

a) dick_____ Leute.

b) meine neu_____ Kollegin.

c) meinen neugierig_____ Nachbarn nicht.

d) sein jüngst_____ Kind am liebsten.

e) Leute mit verrückt_____ Ideen.

f) Leute mit einem klug_____ Kopf.

g) Leute mit einer lustig_____ Frisur.

h) Leute mit einem hübsch_____ Gesicht.

i) den neu_____ Freund meiner Kollegin.

j) die neu_____ Chefin lieber als die
alt_____ .

k) das ältest_____ Kind meiner Schwester
nicht sehr gerne.

l) die sympathisch_____ Gesichter der
beiden Schauspieler.

m) das Mädchen mit den rot_____ Haaren.

n) den Mann mit dem lang_____ Bart nicht.

o) die Frau mit dem kurz_____ Kleid.

p) den Mann mit dem sportlich_____ Anzug.

5. **Ordnen Sie.**

Nach Übung
3
im Kursbuch

Nachbar	Pilot	Verkäufer	Tante	Zahnärztin	Schwester	Musikerin
Bruder	Ehemann	Kaufmann	Eltern	Kellnerin	Kollege	Künstler
Tochter	Lehrerin	Bekannte	Ministerin	Sohn	Politiker	Ehefrau
Polizist	Schauspielerin	Schriftsteller	Soldat	Kind	Fotografin	
Freund	Friseurin	Journalistin	Bäcker	Vater	Mutter	

Berufe	Familie / Menschen, die man gut kennt
Pilot	*Nachbar*
...	...

LEKTION 5

Nach Übung

3

im Kursbuch

6. Sie können es auch anders sagen.

a) Ich wollte dich anrufen. Leider hatte ich keine Zeit.
   Leider hatte ich keine Zeit, dich anzurufen.

b) Immer muss ich die Wohnung alleine aufräumen. Nie hilfst du mir.

c) Kannst du nicht pünktlich sein? Hast du das nicht gelernt?

d) Hast du Gaby nicht eingeladen? Hast du das vergessen?

e) Ich lerne jetzt Französisch. Morgen fange ich an.

f) Ich wollte letzte Woche mit Jochen ins Kino gehen, aber er hatte keine Lust.

g) Meine Kollegin konnte mir gestern nicht helfen, weil sie keine Zeit hatte.

h) Mein Bruder wollte mein Auto reparieren. Er hat es versucht, aber es hat nicht geklappt.

i) Der Tankwart sollte den Wagen waschen, aber er hat es vergessen.

Nach Übung

3

im Kursbuch

7. Ordnen Sie.

manchmal		meistens		sehr oft	
fast immer	oft/häufig		sehr selten		nie
selten / nicht oft		fast nie		immer	

a) *nie* → b) _____ → c) _____ → d) _____ → e) _____ →
f) _____ → g) _____ → h) _____ → i) _____ → j) _____

Nach Übung

3

im Kursbuch

8. Was passt zusammen?

A. Mit den folgenden Sätzen kann man einen Infinitivsatz beginnen.

Ich habe Lust	Ich habe vergessen	Ich versuche	Ich höre auf
Es macht mir Spaß	Ich habe Zeit	Ich helfe dir	Ich habe nie gelernt
Ich habe die Erlaubnis	Ich habe vor	Ich habe Angst	Ich verbiete dir
Ich habe Probleme			

Bilden Sie Infinitivsätze. Welche der Sätze oben passen mit den folgenden Sätzen zusammen?

a) Heute habe ich nichts zu tun. Da kann ich endlich mein Buch lesen.

b) Mein Fahrrad ist kaputt. Vielleicht kann ich es selbst reparieren.

c) Ich spiele gern mit kleinen Kindern.

d) Dein Koffer ist sehr schwer. Komm, wir tragen ihn zusammen!

e) Im August habe ich Urlaub. Dann fahre ich nach Spanien.

f) Ich darf heute eine Stunde früher Feierabend machen.

g) Ich kann abends sehr schlecht einschlafen.

h) Nachts gehe ich nicht gern durch den Park. (Das ist mir zu gefährlich.)

i) Ab morgen rauche ich keine Zigaretten mehr.

j) Du sollst nicht in die Stadt gehen; ich will das nicht!

k) Ich wollte gestern den Brief zur Post bringen. (Er liegt noch auf meinem Schreibtisch.)
l) Ich bin schon 50 Jahre alt, aber ich kann nicht Auto fahren.
m) Ich möchte gerne spazieren gehen.

a) *Ich habe Zeit, mein Buch zu lesen.* _____
b) *Ich versuche . . .* _____
…

B. Auch mit den folgenden Sätzen beginnt man Infinitivsätze.

Es ist		Es ist	
	wichtig		richtig
	langweilig		furchtbar
	gefährlich		unmöglich
	interessant		leicht
	lustig		schwer
	falsch		…

neue Freunde finden   ~~das Auto reparieren~~
allein sein   zu viel Fisch essen
andere Leute treffen   *alles wissen*   im Meer baden
einen Freund verlieren
…   mit Kindern spielen

Bilden Sie Infinitivsätze.
a) *Es ist wichtig, das Auto zu reparieren.* _____
b) *Es . . .* _____
…

9. Ergänzen Sie.

Nach Übung
5
im Kursbuch

telefonieren   duschen   erzählen   hängen   vergessen

entschuldigen   anmachen   ausmachen   anrufen   wecken   reden

a) Ich habe in meiner neuen Wohnung kein Bad. Kann ich bei dir
    _____ ?
b) Dein Mantel liegt im Wohnzimmer auf dem Sofa, oder er _____
    im Schrank.
c) Du hörst jetzt schon seit zwei Stunden diese schreckliche Musik. Kannst du das Radio nicht
    mal _____ ?
d) _____ doch mal das Licht _____ . Man sieht ja nichts mehr.
e) Du stehst doch immer ziemlich früh auf. Kannst du mich morgen um 7.00 Uhr
    _____ ?
f) Vielleicht kann ich doch morgen kommen. _____ mich doch
    morgen Mittag zu Hause oder im Büro _____ . Dann weiß ich es genau. Meine Nummer
    kennst du ja.
g) Du musst dich bei Monika _____ . Du hast ihren Geburtstag
    _____ .
h) Mit wem hast du gestern so lange _____ ? Ich wollte dich anrufen,
    aber es war immer besetzt.
i) Klaus ist so langweilig. Ich glaube, der kann nur über das Wetter _____ .
j) Sie hat mir viel von ihrem Urlaub _____ . Das war sehr interessant.

Nach Übung

5

im Kursbuch

10. Welches Verb passt wo? (Sie können selbst weitere Beispiele finden.)

entschuldigen   unterhalten   reden   ausmachen   telefonieren   kritisieren   anrufen

a) den Arzt
   aus der Telefonzelle
   bei der Auskunft
   Frau Cordes   _____

e) den Film
   die Politik
   den Freund
   das Essen   _____

b) sich | bei den Nachbarn
        | für den Lärm
        | für den Fehler
        | bei den Eltern   _____

f) sich | mit einem Freund
        | über den Urlaub
        | auf der Feier
        | in der U-Bahn   _____

c) mit der Freundin
   am Schreibtisch
   in der Post
   in der Mittagspause   _____

g) über | die Operation
        | das Theaterstück
        | Politik
        | den Chef   _____

d) den Fernsehapparat
   die Waschmaschine
   das Licht
   das Radio   _____

Nach Übung

5

im Kursbuch

11. Was passt?

a) ausmachen: den Fernseher, den Schrank, das Licht, das Radio
b) anrufen: Frau Keller, Ludwig, meinen Chef, das Gespräch
c) telefonieren: mit meinem Kind, mit dem Ehepaar Klausen, mit der Ehe, mit seiner
                  Schwester
d) aufräumen: den Geburtstag, die Küche, das Haus, das Büro
e) hoffen: auf eine bessere Zukunft, auf ein besseres Leben, auf der besseren Straße,
                  auf besseres Wetter

Nach Übung

5

im Kursbuch

12. Sagen Sie es anders.

a) Meine Freundin glaubt, alle Männer sind schlecht.
   Meine Freundin glaubt, dass alle Männer schlecht sind.

b) Ich habe gehört, Inge hat einen neuen Freund.
c) Peter hofft, seine Freundin will ihn bald heiraten.
d) Wir wissen, Peters Eltern haben oft Streit.
e) Helga hat erzählt, sie hat eine neue Wohnung gefunden.
f) Ich bin überzeugt, es ist besser, wenn man jung heiratet.
g) Frank hat gesagt, er will heute Abend eine Kollegin besuchen.
h) Ich meine, man soll viel mit seinen Kindern spielen.
i) Du hast mich zu deinem Geburtstag eingeladen. Darüber habe ich mich gefreut.

13. Welcher Satz ist sinnvoll?

Nac... 8 im Kursbuc...

a) A *Ich finde,*
   B *Ich glaube,*
   C *Ich verlange,*

   dass es morgen regnet.

b) A *Ich bin der Meinung,*
   B *Ich passe auf,*
   C *Ich verspreche,*

   dass meine Schwester sehr
   intelligent ist.

c) A Ich denke,
   B Ich meine,
   C Ich weiß,

   dass die Erde rund ist.

d) A *Ich bin dafür,*
   B *Ich bin überzeugt,*
   C *Ich kritisiere,*

   dass der Präsident ein guter Politiker
   ist.

e) A *Ich bin einverstanden,*
   B *Ich verspreche,*
   C *Ich bin traurig,*

   dass du nie Zeit für mich hast.

f) A *Ich hasse es,*
   B *Ich bin glücklich,*
   C *Ich möchte,*

   dass meine Nachbarn mich immer
   durch laute Musik stören.

14. Nebensätze mit „dass" beginnen auch oft mit den folgenden Sätzen. Lernen Sie die Sätze.

Nach Übung 8 im Kursbuch

Ich habe geantwortet,	dass ...	Es ist falsch,	dass ...	Es ist möglich,	dass ...
Ich habe erklärt,		richtig,		wunderbar,	
Ich habe gesagt,		wahr,		interessant,	
Ich habe entschieden,		klar,		toll,	
Ich habe gehört,		lustig,		nett,	
Ich habe geschrieben,		schlimm,		klug,	
Ich habe vergessen,		wichtig,		verrückt,	
Ich habe mich beschwert,		schlecht,		selten,	
		gut,			

15. Was ist Ihre Meinung? Schreiben Sie.

Nach Übung 8 im Kursbuch

a) Geld macht nicht glücklich.   Ich bin auch/nicht überzeugt, ...

   Ich bin auch überzeugt, dass Geld nicht glücklich macht.

b) Es gibt sehr viele schlechte Ehen.   Ich glaube auch/nicht, ...
c) Ohne Kinder ist man freier.   Ich finde auch/nicht, ...
d) Die meisten Männer heiraten nicht gern.   Ich bin auch/nicht der Meinung, ...
e) Die Liebe ist das Wichtigste im Leben.   Es stimmt / stimmt nicht, ...
f) Reiche Männer sind immer interessant.   Es ist wahr/falsch, ...
g) Schöne Frauen sind meistens dumm.   Ich meine auch/nicht, ...
h) Frauen mögen harte Männer.   Ich denke auch/nicht, ...
i) Man muss nicht heiraten, wenn man Kinder will.   Ich bin dafür/dagegen, ...

16. Ihre Grammatik. Ergänzen Sie den Infinitiv und das Partizip II.

Starke und unregelmäßige Verben

Infinitiv	Präteritum (3. Person Singular)	Partizip II
anfangen	fing an	*angefangen*
	begann	
	bekam	
	brachte	
	dachte	
	lud ein	
	aß	
	fuhr	
	fand	
	flog	
	gab	
	ging	
	hielt	
	hieß	
	kannte	
	kam	
	lief	
	las	
	lag	
	nahm	
	rief	
	schlief	
	schnitt	
	schrieb	
	schwamm	
	sah	
	sang	
	saß	
	sprach	
	stand	
	trug	
	traf	
	tat	
	vergaß	
	verlor	
	wusch	
	wusste	

Schwache Verben

Infinitiv	Präteritum (3. Person Singular)	Partizip II
abholen	holte ab	*abgeholt*
	stellte ab	
	antwortete	
	arbeitete	
	hörte auf	
	badete	
	baute	
	besichtigte	
	bestellte	
	besuchte	
	bezahlte	
	brauchte	
	kaufte ein	
	erzählte	
	feierte	
	glaubte	
	heiratete	
	holte	
	hörte	
	kaufte	
	kochte	
	lachte	
	lebte	
	lernte	
	liebte	
	machte	
	parkte	
	putzte	
	rechnete	
	reiste	
	sagte	
	schenkte	
	spielte	
	suchte	
	tanzte	
	zeigte	

Nach Übung

13

im Kursbuch

17. „Nach", „vor", „in", „während", „bei" oder „an"? Was passt? Ergänzen Sie auch die Artikel.

a) _____ Sommer sitzen wir abends oft im Garten und grillen.

b) _____ _____ Abendessen dürfen die Kinder nicht mehr spielen. Sie müssen dann sofort ins Bett gehen.

c) Meine Mutter passt genau auf, dass ich mir _____ _____ Essen immer die Hände wasche. Sonst darf ich mich nicht an den Tisch setzen.

d) _____ _____ Arbeit fahre ich sofort nach Hause.

e) _____ Abend sehen meine Eltern meistens fern.

f) _____ nächsten Jahr bekommen wir eine größere Wohnung. Dann wollen wir auch Kinder haben.

g) Mein Vater sieht sehr gerne Fußball. _____ _____ Sportsendungen darf ich ihn deshalb nicht stören.

h) Meine Frau und ich haben uns 4 Jahre _____ _____ Hochzeit kennengelernt.

i) _____ Wochenende gehe ich mit meiner Freundin oft ins Kino.

j) _____ _____ ersten Ehejahren wollen die meisten Paare noch keine Kinder haben.

k) _____ Dienstag gehe ich in die Sauna.

l) _____ _____ Schulzeit bekam Sandra ein Kind.

m) _____ Abendessen dürfen die Kinder nicht sprechen. Die Eltern möchten, dass sie still am Tisch sitzen.

n) _____ Anfang konnten die Eltern nicht verstehen, dass Ulrike schon mit 17 Jahren eine eigene Wohnung haben wollte.

Nach Übung

13

im Kursbuch

18. Ihre Grammatik. Ergänzen Sie.

	der Besuch	die Arbeit	das Abendessen	die Sportsendungen
vor	vor dem Besuch	vor d		
nach	nach d	nach d		
bei	bei d	bei d		
während	während dem während des Besuchs	während d während d		

	der Abend
an	am Abend

	das Wochenende	die Sonntage

	der letzte Sommer	die letzte Woche	das letzte Jahr	die letzten Jahre
in	im letzten Sommer	in d		

19. Im Gespräch verwendet man im Deutschen meistens das Perfekt und nicht das Präteritum. Erzählen Sie deshalb in dieser Übung von Adele, Ingeborg und Ulrike im Perfekt. Verwenden Sie das Präteritum nur für die Verben „sein", „haben", „dürfen", „sollen", „müssen", „wollen" und „können".

Nach Übung
13
im Kursbuch

a) Maria: *Marias Jugendzeit war sehr hart. Eigentlich hatte sie nie richtige Eltern. Als sie zwei Jahre alt war, ist ihr Vater gestorben. Ihre Mutter hat ihren Mann nie vergessen und hat mehr an ihn . . .*

b) Adele: *Adele hat als Kind . . .*

c) Ingeborg: ...

d) Ulrike: ...

20. Erinnerungen an die Großmutter. Ergänzen Sie die Verbformen im Präteritum.

Nach Übung
13
im Kursbuch

fand (finden)   arbeitete (arbeiten)   half (helfen)   las (lesen)   verdiente (verdienen)
hieß (heißen)   hatte (haben)   nannte (nennen)   besuchte (besuchen)   ging (gehen)
erzählte (erzählen)   heiratete (heiraten)   war (sein)   sah (sehen)   trug (tragen)
wohnte (wohnen)   liebte (lieben)   gab (geben)   wollte (wollen)   schlief (schlafen)

Meine Großmutter _____(a) Elisabeth, aber ich _____(b) sie immer Oma Lili. Ich _____(c) sie oft, und dann _____(d) sie mir von früher. Sie _____(e) schon mit 18 Jahren. Meine Mutter _____(f) ihr einziges Kind, weil ihr Mann bald nach der Hochzeit in den Krieg _____(g); und dann _____(h) sie ihn nie wieder. Sie _____(i) mit dem Kind bei ihren Eltern. Nachts _____(j) sie auf dem Sofa, weil es nicht genug Betten _____(k). Heiraten _____(l) sie nicht mehr, weil sie ihren Mann immer noch _____(m). Später _____(n) sie eine Arbeitsstelle in einem Gasthaus. Sie _____(o) dem Koch in der Küche. Obwohl sie täglich zehn Stunden _____(p), _____(q) sie wenig Geld. Meine Großmutter _____(r) damals nur ein schönes Kleid, und das _____(s) sie am Sonntag. Sie _____(t) gerne Bücher, am liebsten Liebesromane.

21. Sagen Sie es anders.

Nach Übung
13
im Kursbuch

a) Meine Eltern haben in Paris geheiratet. Da waren sie noch sehr jung.
   Als meine Eltern in Paris geheiratet haben, waren sie noch sehr jung.

b) Ich war sieben Jahre alt. Da hat mir mein Vater einen Hund geschenkt.

c) Vor fünf Jahren hat meine Schwester ein Kind bekommen. Da war sie 30 Jahre alt.

d) Sandra hat die Erwachsenen gestört. Trotzdem durfte sie im Zimmer bleiben.

e) Früher hatten seine Eltern oft Streit. Da war er noch ein Kind.

f) Früher war es zu Hause nicht so langweilig. Da haben meine Großeltern noch gelebt.

g) Wir waren im Sommer in Spanien. Das Wetter war sehr schön.

22. Ein Vater erzählt von seinem Sohn. Was sagt er?

jeden Tag drei Stunden telefonieren (14 J.)   schwimmen lernen (5 J.)   laufen lernen (1 J.)

sich sehr für Politik interessieren (18 J.)   sich ein Fahrrad wünschen (4 J.)

sich nicht gerne waschen (8 J.)   immer nur Unsinn machen (3 J.)

heiraten (24 J.)   Briefmarken sammeln (15 J.)   vom Fahrrad fallen (7 J.)   viel lesen (10 J.)

Als er ein Jahr alt war, hat er laufen gelernt.
Als er drei Jahre alt war, . . .

23. „Als" oder „wenn"? Was passt?

a) _____ das Wetter im Sommer schön ist, sitzen wir oft im Garten und grillen.
b) _____ Ulrike 21 Jahre alt war, bekam sie ein Kind.
c) _____ meine Mutter abends ins Kino gehen möchte, ist mein Vater meistens zu müde.
d) _____ meine Mutter gestern allein ins Kino gehen wollte, war mein Vater sehr böse.
e) _____ Ingeborg ein Kind war, war das Wort ihrer Eltern Gesetz.
f) Früher mussten die Kinder ruhig sein, _____ die Eltern sich unterhielten.
g) _____ Sandra sich bei unserem Besuch langweilte und uns störte, lachten die Erwachsenen, und sie durfte im Zimmer bleiben.
h) _____ ich nächstes Wochenende Zeit habe, dann gehe ich mit meinen Kindern ins Schwimmbad.
i) _____ wir im Kinderzimmer zu laut sind, müssen wir sofort ins Bett.
j) _____ mein Vater gestern meine Hausaufgaben kontrollierte, schimpfte er über meine Fehler.

24. Ergänzen Sie.

mit	an	um	für	auf	über

a) Meine Mutter schimpfte immer _____ *d*_____ Unordnung in unserem Zimmer.
b) Mein Vater regt sich oft _____ *d*_____ Fehler in meinen Hausaufgaben auf.
c) Wenn ich mich _____ *mei*_____ Vater unterhalten möchte, hat er meistens keine Zeit.
d) Ich möchte abends immer gern _____ *mei*_____ Eltern spielen.
e) Meine Mutter interessiert sich abends nur _____ *d*_____ Fernsehprogramm.
f) Früher kümmerte sich meistens nur die Mutter _____ *d*_____ Kinder.
g) Weil Adele sich sehr _____ Kinder freute, wollte sie lieber heiraten als einen Beruf lernen.
h) Marias Vater starb sehr früh. Ihre Mutter liebte ihn sehr. Deshalb dachte sie mehr _____ *ihr*_____ Mann als _____ *ihr*_____ Tochter.

25. Ergänzen Sie.

Nach Übung
13
im Kursbuch

ausziehen	damals	schließlich	unbedingt	Sorgen	anziehen
verschieden	früh	deutlich	hart	aufpassen	Wunsch	allein	Besuch

a) Obwohl sie Schwestern sind, sehen beide sehr _____ aus.

b) Wir warten schon vier Stunden auf dich. Wir haben uns _____ gemacht.

c) Was kann ich Holger und Renate zur Hochzeit schenken? Haben sie einen besonderen
   _____ ?

d) Rainer und Nils sind Brüder. Das sieht man sehr _____ .

e) Vor hundert Jahren waren die Familien noch größer. _____ hatte man mehr
   Kinder.

f) Wenn ihre Mutter nicht zu Hause ist, muss Andrea auf ihren kleinen Bruder _____ .

g) Michael ist erst vier Jahre alt, aber er kann sich schon alleine _____ und
   _____ .

h) Weil viele alte Leute wenig _____ bekommen, fühlen sie sich oft
   _____ .

i) Ulrike bekam sehr _____ ein Kind, schon mit 21 Jahren. Zuerst konnten
   ihre Eltern das nicht verstehen, aber _____ haben sie ihr doch geholfen.
   Denn für Ulrike war die Zeit mit dem kleinen Kind am Anfang sehr _____ .

j) Ulrike wollte schon als Schülerin _____ anders leben als ihre Eltern.

26. Sagen Sie es anders.

Nach Übung
15
im Kursbuch

a) Mein ältester Bruder hat ein neues Auto. Es ist schon kaputt.
   Das neue Auto meines ältesten Bruders ist schon kaputt.

b) Mein zweiter Mann hat eine sehr nette Mutter.

c) Meine neue Freundin hat eine Schwester. Die hat geheiratet.

d) Mein jüngstes Kind hat einen Freund. Leider ist er sehr laut.

e) Meine neuen Freunde haben zwei Kinder. Sie gehen schon zur Schule.

f) Ich habe den alten Wagen verkauft, aber der Verkauf war sehr schwierig.

g) Das kleine Kind hat keine Mutter mehr. Sie ist vor zwei Jahren gestorben.

h) In der Hauptstraße ist eine neue Autowerkstatt. Der Chef ist mein Freund.

i) Die schwarzen Schuhe waren kaputt. Die Reparatur hat sehr lange gedauert.

der zweite Mann	die neue Freundin	das jüngste Kind	die neuen Freunde
die Mutter *meines zweiten Mannes*	die Schwester *meiner*	der Freund *m*	die Kinder *m*

der alte Wagen	das kleine Kind	die neue Werkstatt	die schwarzen Schuhe
der Verkauf *des alten Wagens*	die Mutter *d*	der Chef *d*	die Reparatur *d*

Nach Übung

15

im Kursbuch

27. Was passt nicht?

a) glücklich sein – sich wohlfühlen – zufrieden sein – sich langweilen
b) erziehen – Schule – Eltern – Jugend – Erziehung – Besuch
c) schlagen – töten – sterben – tot sein
d) möchten – Wunsch – Bitte – bitten – Gesetz – wollen
e) wecken – leben – aufstehen – aufwachen
f) kümmern – fühlen – sorgen – helfen
g) putzen – sich waschen – schwimmen – sich duschen – sauber machen – spülen

Nach Übung

15

im Kursbuch

28. Die Familie Vogel. Ergänzen Sie.

Urgroßmutter   Tochter   Großmutter   Sohn   Onkel   Urenkelin   Nichte

Urgroßvater   Mutter   Großvater   Eltern   Enkel   Neffe   Vater   Enkelin

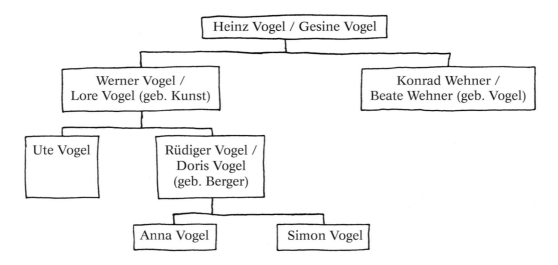

a) Heinz Vogel ist der _____ von Werner Vogel.
b) Werner Vogel ist der _____ von Heinz und Gesine Vogel.
c) Beate Wehner ist die _____ von Heinz und Gesine Vogel.
d) Werner Vogel und Lore Vogel sind die _____ von Rüdiger Vogel.
e) Anna Vogel ist die _____ von Heinz und Gesine Vogel.
f) Lore Vogel ist die _____ von Anna Vogel.
g) Ute Vogel ist die _____ von Konrad Wehner und Beate Wehner.
h) Rüdiger Vogel ist der _____ von Konrad und Beate Wehner.
i) Ute Vogel ist die _____ von Heinz Vogel.
j) Konrad Wehner ist der _____ von Ute Vogel.
k) Werner Vogel ist der _____ von Simon Vogel.
l) Lore Vogel ist die _____ von Ute Vogel.
m) Gesine Vogel ist die _____ von Anna Vogel.
n) Heinz Vogel ist der _____ von Simon Vogel.
o) Simon Vogel ist der _____ von Lore Vogel.

Lektion 1

1. positiv: nett, lustig, sympathisch, intelligent, freundlich, attraktiv, ruhig, hübsch, schön, schlank, gemütlich
negativ: dumm, langweilig, unsympathisch, hässlich, dick, komisch, nervös, unfreundlich

2. **a)** hübsch **b)** intelligent **c)** alt **d)** attraktiv **e)** hässlich **f)** jung **g)** nett

3. **a)** finde · – **b)** ist · – / sieht · aus **c)** ist · – **d)** finde · – **e)** ist · – / sieht · aus **f)** ist · –
g) ist · – **h)** ist · – / sieht · aus **i)** finde · –

4. **a)** ein bisschen/etwas **b)** über (etwa/ungefähr) **c)** nur/bloß (genau) **d)** viel **e)** mehr **f)** über **g)** fast
h) genau

5. **a)** die starken Arme · die breiten Schultern · die schmalen Augen · die attraktive Figur
b) der dicke Bauch · das runde Gesicht · die kleinen Hände · die braune Haut
c) die langen Beine · die braune Haut · der große Mund · die schlanke Figur
d) die runde Brille · die kleine Nase · die schwarzen Haare · der kluge Kopf

6. **a)** stark **b)** schlank **c)** rund **d)** groß **e)** kurz

7. **a)** Den billigen Fotoapparat hat Bernd ihm geschenkt. **b)** Die komische Uhr hat Petra ihm geschenkt.
c) Das langweilige Buch hat Udo ihm geschenkt. **d)** Den hässlichen Pullover hat Inge ihm geschenkt.
e) Den alten Kuchen hat Carla ihm geschenkt. **f)** Den sauren Wein hat Dagmar ihm geschenkt.
g) Die unmoderne Jacke hat Horst ihm geschenkt. **h)** Den kaputten Kugelschreiber hat Holger ihm
geschenkt. **i)** Das billige Radio hat Rolf ihm geschenkt.

8. **a)** gelb **b)** rot (gelb) **c)** weiß **d)** blau (grün) **e)** schwarz **f)** grün **g)** braun

9. **a)** Welches Kleid findest du besser, das lange oder das kurze? **b)** Welchen Mantel findest du besser, den
gelben oder den braunen? **c)** Welche Jacke findest du besser, die grüne oder die weiße? **d)** Welchen
Pullover findest du besser, den dicken oder den dünnen? **e)** Welche Mütze findest du besser, die kleine
oder die große? **f)** Welche Hose findest du besser, die blaue oder die rote? **g)** Welche Handschuhe findest
du besser, die weißen oder die schwarzen?

10. nie → fast nie / sehr selten → selten → manchmal → oft → sehr oft → meistens / fast immer → immer

11. **a)** Wie hässlich! So ein dicker Hals gefällt mir nicht. **b)** … So eine lange Nase gefällt mir nicht.
c) … So ein trauriges Gesicht gefällt mir nicht. **d)** … So ein dicker Bauch gefällt mir nicht. **e)** … So
kurze Beine gefallen mir nicht. **f)** … So dünne Arme gefallen mir nicht. **g)** … So ein großer Mund
gefällt mir nicht. **h)** … So eine schmale Brust gefällt mir nicht.

12. **a)** die Jacke **b)** das Kleid **c)** die Schuhe **d)** die Bluse **e)** der Rock **f)** die Strümpfe **g)** die Mütze
h) der Mantel **i)** der Pullover **j)** die Handschuhe **k)** die Hose

13. **a)** Haare **b)** Kleidung **c)** Mensch/Charakter **d)** Aussehen

14. **a)** … einen dicken Bauch. … kurze Beine. … große Füße. … kurze Haare. … eine runde Brille. … ein
schmales Gesicht. … eine lange (große) Nase. … einen kleinen Mund. **b)** Sein Bauch ist dick. … kurz. …
groß. … kurz. … rund. … schmal. … lang (groß). … klein. **c)** Sie hat große Ohren. … lange Haare. … eine
kleine Nase. … einen schmalen Mund. … lange Beine. … ein rundes Gesicht. … kleine Füße. … einen
dicken Hals. **d)** Ihre Ohren sind groß. … lang. … klein. … schmal. … lang. … rund. … klein. … dick.

15. **a)** schwarzen · weißen **b)** blauen · gelben **c)** schwere · dicken **d)** dunklen · roten **e)** weißes · blauen
f) braune · braunen

16. ein roter Mantel   einen roten Mantel   einem roten Mantel
eine braune Hose   eine braune Hose   einer braunen Hose
ein blaues Kleid   ein blaues Kleid   einem blauen Kleid
neue Schuhe   neue Schuhe   neuen Schuhen

17. **a)** schwarzen · weißen **b)** blaue · roten **c)** braunen · grünen **d)** helle · gelben **e)** rote · schwarzen

18. der rote Mantel   den roten Mantel   dem roten Mantel
die braune Hose   die braune Hose   der braunen Hose
das blaue Kleid   das blaue Kleid   dem blauen Kleid
die neuen Schuhe   die neuen Schuhe   den neuen Schuhen

19. a) ● Du suchst doch eine Bluse.
　　 Wie findest du die hier?
　　 ■ Welche meinst du?
　　 ● Die weiße.
　　 ■ Die gefällt mir nicht.
　　 ● Was für eine möchtest du denn?
　　 ■ Eine blaue.

d) ● Du suchst doch einen Rock.
　　 Wie findest du den hier?
　　 ■ Welchen meinst du?
　　 ● Den roten.
　　 ■ Der gefällt mir nicht.
　　 ● Was für einen möchtest du denn?
　　 ■ Einen gelben.

b) ● Du suchst doch eine Hose.
　　 Wie findest du die hier?
　　 ■ Welche meinst du?
　　 ● Die braune.
　　 ■ Die gefällt mir nicht.
　　 ● Was für eine möchtest du denn?
　　 ■ Eine schwarze.

e) ● Du suchst doch Schuhe.
　　 Wie findest du die hier?
　　 ■ Welche meinst du?
　　 ● Die blauen.
　　 ■ Die gefallen mir nicht.
　　 ● Was für welche möchtest du denn?
　　 ■ Weiße.

c) ● Du suchst doch ein Kleid.
　　 Wie findest du das hier?
　　 ■ Welches meinst du?
　　 ● Das kurze.
　　 ■ Das gefällt mir nicht.
　　 ● Was für eins möchtest du denn?
　　 ■ Ein langes.

20.
Was für ein Mantel?	Was für einen Mantel?	Mit was für einem Mantel?
Welcher Mantel?	Welchen Mantel?	Mit welchem Mantel?
Was für eine Hose?	Was für eine Hose?	Mit was für einer Hose?
Welche Hose?	Welche Hose?	Mit welcher Hose?
Was für ein Kleid?	Was für ein Kleid?	Mit was für einem Kleid?
Welches Kleid?	Welches Kleid?	Mit welchem Kleid?
Was für Schuhe?	Was für Schuhe?	Mit was für Schuhen?
Welche Schuhe?	Welche Schuhe?	Mit welchen Schuhen?

21. a) Musiker **b)** Onkel **c)** Tochter **d)** Meter (m) **e)** Ehemann **f)** Kollege **g)** Hemd **h)** Hochzeitsfeier **i)** Brille **j)** voll **k)** keine Probleme

22. a) Welcher　Dieser
　　 Welche　Diese
　　 Welches　Dieses
　　 Welche　Diese
b) Welchen　Diesen
　　 Welche　Diese
　　 Welches　Dieses
　　 Welche　Diese
e) welchem　diesem
　　 welcher　dieser
　　 welchem　diesem
　　 welchen　diesen

23. a) Arbeitgeberin · Angestellte **b)** Arbeitsamt **c)** pünktlich **d)** verrückt **e)** angenehme **f)** Prozess **g)** Stelle **h)** Ergebnis **i)** kritisieren **j)** Typ **k)** Wagen **l)** Test

24. a) Alle · manche **b)** jeden · manche **c)** allen · jedem **d)** alle · manche

25.
jeder	jede	jedes	alle	manche
jeden	jede	jedes	alle	manche
jedem	jeder	jedem	allen	manchen

26. pro: Du hast recht. Das stimmt. Das ist richtig. Das ist auch meine Meinung. Das finde ich auch. Ich glaube das auch. Einverstanden! Das ist wahr.
kontra: Ich bin anderer Meinung. Das finde ich nicht. Das ist falsch. Das ist Unsinn. So ein Quatsch! Das stimmt nicht. Das ist nicht wahr.

27. a) lügen **b)** verlangen **c)** zahlen **d)** tragen **e)** kritisieren **f)** kündigen

Lektion 2

1. a) Peter möchte Zoodirektor werden, weil er Tiere mag. · Weil Peter Tiere mag, möchte er Zoodirektor werden. **b)** Gabi will Sportlerin werden, weil sie eine Goldmedaille gewinnen möchte. · Weil Gabi eine Goldmedaille gewinnen möchte, will sie Sportlerin werden. **c)** Sabine will Fotomodell werden, weil sie schöne Kleider mag. · Weil Sabine schöne Kleider mag, will sie Fotomodell werden. **d)** Paul möchte Nachtwächter werden, weil er abends nicht früh ins Bett gehen mag. · Weil Paul abends nicht früh ins Bett gehen mag, möchte er Nachtwächter werden. **e)** Sabine will Fotomodell werden, weil sie viel Geld verdienen möchte. · Weil Sabine viel Geld verdienen möchte, will sie Fotomodell werden. **f)** Paul will Nachtwächter werden, weil er nachts arbeiten möchte. · Weil Paul nachts arbeiten möchte, will er Nachtwächter werden. **g)** Julia will Dolmetscherin werden, weil sie dann oft ins Ausland fahren kann. · Weil Julia dann oft ins Ausland fahren kann, will sie Dolmetscherin werden. **h)** Julia möchte Dolmetscherin werden, weil sie gern viele Sprachen verstehen möchte. · Weil Julia gern viele Sprachen verstehen möchte, möchte sie Dolmetscherin werden. **i)** Gabi will Sportlerin werden, weil sie die Schnellste in ihrer Klasse ist. · Weil Gabi die Schnellste in ihrer Klasse ist, will sie Sportlerin werden.

Junktor	Vorfeld	Verb₁	Subj.	Erg.	Ang.	Ergänzung	Verb₂	Verb₁ im Nebensatz
a)	Peter	möchte				Zoodirektor	werden,	
denn	er	mag				Tiere.		
	Peter	möchte				Zoodirektor	werden,	
weil			er			Tiere		mag.
b)	Gabi	will				Sportlerin	werden,	
denn	sie	möchte				eine Goldmedaille	gewinnen.	
	Gabi	will				Sportlerin	werden,	
weil			sie			eine Goldmedaille	gewinnen	möchte.
c)	Sabine	will				Fotomodell	werden,	
denn	sie	mag				schöne Kleider.		
	Sabine	will				Fotomodell	werden,	
weil			sie			schöne Kleider		mag.

2. **a)** wollte **b)** will **c)** wollten **d)** wolltest **e)** wollt **f)** wollten **g)** willst **h)** wolltet **i)** wollte **j)** wollen

3.
will	willst	will	wollen	wollt	wollen	wollen
wollte	wolltest	wollte	wollten	wolltet	wollten	wollten

4. **a)** Verkäufer **b)** Ausbildung **c)** verdienen **d)** Schauspielerin **e)** Zahnarzt **f)** Zukunft **g)** Maurer **h)** kennenlernen **i)** Klasse

5. **a)** klein · jung **b)** bekannt · schlank **c)** frisch · einfach **d)** zufrieden · freundlich

6.
konnte	durfte	sollte	musste
konntest	durftest	solltest	musstest
konnte	durfte	sollte	musste
konnten	durften	sollten	mussten
konntet	durftet	solltet	musstet
konnten	durften	sollten	mussten
konnten	durften	sollten	mussten

7. **a)** weil **b)** obwohl **c)** obwohl **d)** weil **e)** weil **f)** obwohl **g)** obwohl

Junktor	Vorfeld	Verb₁	Subj.	Erg.	Ang.	Ergänzung	Verb₂	Verb₁ im Nebensatz
d)	Herr Schmidt	konnte			nicht mehr	als Maurer	arbeiten,	
weil			er			einen Unfall		hatte.
e)	Frau Voller	sucht				eine neue Stelle,		
weil			sie			nicht genug		verdient.
f)	Frau Mars	liebt				ihren Beruf,		
obwohl			die Arbeit		manchmal	sehr anstrengend		ist.
g)	Herr Gansel	musste				Landwirt	werden,	
obwohl			er	es	gar nicht	wollte.		

8. **a)** Wenn du Bankkaufmann werden willst, dann musst du jetzt eine Lehrstelle suchen. · …, dann such jetzt schnell eine Lehrstelle. **b)** Wenn du studieren willst, dann musst du aufs Gymnasium gehen. · …, dann geh aufs Gymnasium. **c)** Wenn du sofort Geld verdienen willst, dann musst du die Stellenanzeigen in der Zeitung lesen. · …, dann lies die Stellenanzeigen in der Zeitung. **d)** Wenn du nicht mehr zur Schule gehen willst, dann musst du einen Beruf lernen. · …, dann lern einen Beruf. **e)** Wenn du noch nicht arbeiten willst, dann musst du weiter zur Schule gehen. · …, dann geh weiter zur Schule. **f)** Wenn du später zur Fachhochschule gehen willst, dann musst du jetzt zur Fachoberschule gehen. · …, dann geh jetzt zur Fachoberschule. **g)** Wenn du einen Beruf lernen willst, dann musst du die Leute beim Arbeitsamt fragen. · …, dann frag die Leute beim Arbeitsamt.

9. **a)** Kurt sucht eine andere Stelle, weil er mehr Geld verdienen will. · Weil Kurt mehr Geld verdienen will, sucht er eine andere Stelle. **b)** Herr Bauer ist unzufrieden, weil er eine anstrengende Arbeit hat. · Weil Herr Bauer eine anstrengende Arbeit hat, ist er unzufrieden. **c)** Eva ist zufrieden, obwohl sie wenig Freizeit hat. · Obwohl Eva wenig Freizeit hat, ist sie zufrieden. **d)** Hans kann nicht studieren, wenn er ein schlechtes Zeugnis bekommt. · Wenn Hans ein schlechtes Zeugnis bekommt, (dann) kann er nicht studieren. **e)** Herbert ist arbeitslos, weil er einen Unfall hatte. · Weil Herbert einen Unfall hatte, ist er arbeitslos. **f)** Ich nehme die Stelle, wenn ich nicht nachts arbeiten muss. · Wenn ich nicht nachts arbeiten muss, (dann) nehme ich die Stelle.

10. **a)** Lehre **b)** Semester **c)** mindestens **d)** Gymnasium **e)** Nachteil **f)** Zeugnis **g)** Bewerbung **h)** beginnen **i)** Grundschule

11. **a)** B **b)** A **c)** A **d)** B

12. **a)** Deshalb **b)** und **c)** dann **d)** Sonst **e)** Trotzdem **f)** Aber **g)** denn **h)** sonst **i)** dann **j)** aber **k)** Trotzdem

Junktor	Vorfeld	Verb₁	Subj.	Erg.	Ang.	Ergänzung	Verb₂
a)	Für Akademiker	gibt	es			wenig Stellen.	
	Deshalb	haben	viele Studenten			Zukunftsangst.	
b)	Die Studenten	wissen		das	natürlich,		
und	die meisten	sind			nicht	optimistisch.	
c)	Man	muss			einfach	besser	sein,
dann		findet	man		bestimmt	eine Stelle.	

	Junktor	Vorfeld	Verb₁	Subj.	Erg.	Ang.	Ergänzung	Verb₂
d)		Du	musst			zuerst	das Abitur	machen.
	Sonst	kannst	du		nicht		studieren.
e)		Ihr	macht	das Studium			keinen Spaß.	
	Trotzdem	studiert	sie				weiter.
f)		Sie	hat				viele Bewerbungen	geschrieben,
	Aber	sie	hat				keine Stelle	gefunden.
g)		Sie	lebt			noch	bei ihren Eltern,	
	denn	eine Wohnung	kann	sie		nicht		bezahlen.

13. a) Die Studenten studieren weiter, obwohl sie ihre schlechten Berufschancen kennen. **b)** Vera ist schon 27 Jahre alt. Trotzdem wohnt sie immer noch bei den Eltern. **c)** Obwohl Manfred nicht mehr zur Schule gehen will, soll er den Realschulabschluss machen. **d)** Jens kann schon zwei Fremdsprachen. Trotzdem will er Englisch lernen. **e)** Obwohl Eva Lehrerin werden sollte, ist sie Krankenschwester geworden. **f)** Obwohl ein Doktortitel bei der Stellensuche wenig hilft, schreibt Vera eine Doktorarbeit. **g)** Es gibt zu wenig Stellen für Akademiker. Trotzdem hat Konrad Dehler keine Zukunftsangst. **h)** Obwohl Bernhard das Abitur gemacht hat, möchte er lieber einen Beruf lernen. **i)** Doris hat sehr schlechte Arbeitszeiten. Trotzdem möchte sie keinen anderen Beruf.

14. a) Thomas möchte nicht mehr zur Schule gehen, weil er lieber einen Beruf lernen möchte. · Thomas möchte lieber einen Beruf lernen. Deshalb möchte er nicht mehr zur Schule gehen. **b)** Jens findet seine Stelle nicht gut, denn er hat zu wenig Freizeit. · Jens hat zu wenig Freizeit. Deshalb findet er seine Stelle nicht gut. **c)** Herr Köster kann nicht arbeiten, weil er gestern einen Unfall hatte. · Herr Köster hatte gestern einen Unfall. Deshalb kann er nicht arbeiten. **d)** Manfred soll noch ein Jahr zur Schule gehen, weil er keine Stelle gefunden hat. · Manfred hat keine Stelle gefunden. Deshalb soll er noch ein Jahr zur Schule gehen. **e)** Vera wohnt noch bei ihren Eltern, denn sie verdient nur wenig Geld. · Vera verdient nur wenig Geld. Deshalb wohnt sie noch bei ihren Eltern. **f)** Kerstin kann nicht studieren, weil sie nur die Hauptschule besucht hat. · Kerstin hat nur die Hauptschule besucht. Deshalb kann sie nicht studieren. **g)** Conny macht das Studium wenig Spaß, denn an der Uni gibt es eine harte Konkurrenz. · An der Uni gibt es eine harte Konkurrenz. Deshalb macht das Studium Conny wenig Spaß. **h)** Simon mag seinen Beruf nicht, denn er wollte eigentlich Automechaniker werden. · Simon wollte eigentlich Automechaniker werden. Deshalb mag er seinen Beruf nicht. **i)** Herr Bender möchte weniger arbeiten, weil er zu wenig Zeit für seine Familie hat. · Herr Bender hat zu wenig Zeit für seine Famlie. Deshalb möchte er weniger arbeiten.

15. a) – · er **b)** sie · – **c)** – · er **d)** sie · – **e)** – · sie **f)** – · er **g)** – · sie **h)** er · – **i)** sie · – **j)** – · sie **k)** – · er

16. großes · deutschen · attraktive · junge · eigenen · neues
neue · neuen
großes · jungen · interessanten · gutes · sichere berufliche · modernen

17. a) Heute ist der zwölfte Mai. · ... der achtundzwanzigste Februar. · ... der erste April. · ... der dritte August **b)** Am siebten April. · Am siebzehnten Oktober · Am elften Januar · Am einunddreißigsten März **c)** Nein, wir haben heute den dritten. · Nein, wir haben heute den vierten. · Nein, wir haben heute den siebten. · Nein, wir haben heute den achten. **d)** Vom vierten April bis zum achten März. · Vom dreiundzwanzigsten Januar bis zum zehnten September. · Vom vierzehnten Februar bis zum ersten Juli. · Vom siebten April bis zum zweiten Mai.

18. ● Maurer.
■ Hallo, Petra, hier ist Anke.
● Hallo, Anke!
■ Na, wie geht's? Hast du schon eine neue Stelle?
● Ja, drei Angebote. Am interessantesten finde ich eine Firma in Offenbach.
■ Und? Erzähl mal!
● Da kann ich Chefsekretärin werden. Die Kollegen sind nett, und das Gehalt ist auch ganz gut.
■ Und was machst du? Nimmst du die Stelle?

● Ich weiß noch nicht. Nach Offenbach sind es 35 Kilometer. Das ist ziemlich weit.
■ Das ist doch nicht schlimm. Dann musst du nur ein bisschen früher aufstehen.
● Aber du weißt doch, ich schlafe morgens gern lange.
■ Ja, ja, ich weiß. Aber findest du das wichtiger als eine gute Stelle? …

19. **a)** Student **b)** Betrieb **c)** Kantine **d)** Inland **e)** ausgezeichnet **f)** lösen **g)** arbeitslos **h)** Rente
i) Import **j)** Hauptsache **k)** auf jeden Fall **l)** dringend **m)** anfangen **n)** Monate

20. **a)** Gehalt **b)** Kunde **c)** Termin **d)** bewerben **e)** Religion **f)** Zeugnis

21. **a)** macht **b)** bestimmen **c)** gehen **d)** besuchen **e)** aussuchen **f)** geschafft **g)** versprechen

22. **a)** verdienen **b)** sprechen **c)** schreiben **d)** studieren **e)** korrigieren **f)** kennen **g)** hören **h)** anbieten
i) werden **j)** dauern **k)** lesen

Lektion 3

1. **a)** Kultur **b)** Unterhaltung **c)** Werbung **d)** Medizin **e)** Gewinn **f)** Gott **g)** Orchester **h)** Information
i) Pilot **j)** spielen

2. Unterhaltungsmusik, Unterhaltungssendung, …
Spielfilm, Kinderfilm, …
Nachmittagsprogramm, Kulturprogramm, …

3. **a)** Uhrzeit **b)** Telefon **c)** Nachmittagsprogramm **d)** Tier **e)** Tierarzt **f)** zu spät **g)** Auto **h)** tot
i) vergleichen

4. nach Paris fliegen. Zu spät merken die Eltern im Flugzeug, dass sie ihren kleinen Sohn zu Hause vergessen
haben. Aber Kevin ist ein sehr cleverer Junge, obwohl er erst acht Jahre alt ist. Eigentlich findet er die
Situation auch gar nicht so schlimm, weil er jetzt jede Freiheit hat. Er kann den ganzen Tag fernsehen und
muss abends nicht ins Bett gehen. Aber leider hat er wenig Freizeit, weil zwei Diebe in sein Haus einsteigen
wollen. Kevin macht ein Spiel aus der gefährlichen Situation. Am Ende haben die Diebe Harry und Marv
gelernt, dass ein Kind sehr viel Ärger machen kann. *(Andere Lösungen sind möglich.)*

5. **a)** Wir · uns **b)** ihr · euch **c)** dich · ich · mich **d)** sie · sich **e)** Sie · sich **f)** Er · sich **g)** sich

6. **a)** Du · dich · anziehen **b)** ich · mich · duschen **c)** wir · uns · entscheiden **d)** Sie · sich · gelegt **e)** Setzen
Sie sich **f)** stellt euch **g)** Sie · sich · vorgestellt **h)** Ihr · euch · waschen **i)** sich · beworben

7.
ich	du	er	sie	es	man	wir	ihr	sie	Sie
mich	dich	sich	sich	sich	sich	uns	euch	sich	sich

8. **a)** über die **b)** über ihn **c)** auf die **d)** in der · bei der **e)** mit dem **f)** über den **g)** mit dem **h)** über den
i) Über das **j)** mit der **k)** für ihren **l)** mit der

9. den Film · die Musik · das Programm · die Sendungen
den Film · die Musik · das Programm · die Sendungen
den Film · die Musik · das Programm · die Sendungen
den Film · die Musik · das Programm · die Sendungen

dem Plan · der Meinung · dem Geschenk · den Antworten
dem Plan · der Meinung · dem Geschenk · den Antworten

10. **a)** Worüber · über · Darüber **b)** Worüber · Über · darüber **c)** Wofür · Für · Dafür **d)** Womit · Mit · Damit
e) Worauf · Auf · Darauf **f)** Worauf · Auf · Darauf

11. **a)** Mit wem · Mit · mit ihr **b)** Für wen · Für · für sie **c)** Mit wem · Mit · Mit der / Mit ihr **d)** Über wen ·
Über · Über mich **e)** Auf wen · Auf · auf den / auf ihn

12.
worüber? / über wen?	darüber / über sie
worauf? / auf wen?	darauf / auf sie
wofür? für wen?	dafür / für ihn
wonach? / nach wem?	danach / nach ihm
womit? / mit wem?	damit / mit ihm

13.

Vorfeld	Verb$_1$	Subjekt	Erg.	Angabe	Ergänzung	Verb$_2$
a) <u>Wofür</u>	interessiert	Bettina	sich	am meisten?		
b) <u>Bettina</u>	interessiert		sich	am meisten	für Sport.	
c) <u>Für Sport</u>	interessiert	Bettina	sich	am meisten.		
d) <u>Am meisten</u>	interessiert	Bettina	sich		für Sport.	
e) <u>Für Sport</u>	hat	Bettina	sich	am meisten		interessiert.

14. a) sie würde gern noch mehr Urlaub machen. **b)** sie hätte gern noch mehr Autos. **c)** sie wäre gern noch schlanker. **d)** sie würde gern noch länger fernsehen. **e)** sie würde gern noch mehr verdienen. **f)** sie hätte gern noch mehr Hunde. **g)** sie würde gern noch länger schlafen. **h)** sie wäre gern noch attraktiver. **i)** sie würde gern noch besser aussehen. **j)** sie würde gern noch mehr Sprachen sprechen. **k)** sie hätte gern noch mehr Kleider. **l)** sie wäre gern noch reicher. **m)** sie würde gern noch mehr Leute kennen. **n)** sie würde gern noch öfter Ski fahren. **o)** sie würde gern noch öfter einkaufen gehen. **p)** sie würde gern noch mehr über Musik wissen.

15. a) Es wäre gut, wenn er weniger arbeiten würde. **b)** Es wäre gut, wenn ich weniger essen würde. **c)** Es wäre gut, wenn sie wärmere Kleidung tragen würde. **d)** Es wäre gut, wenn Sie früher aufstehen würden. **e)** Es wäre gut, wenn ich (mir) ein neues Auto kaufen würde. **f)** Es wäre gut, wenn ich (mir) eine andere Wohnung suchen würde. **g)** Es wäre gut, wenn ich jeden Tag 30 Minuten laufen würde. **h)** Es wäre gut, wenn er (sich) eine andere Stelle suchen würde. **i)** Es wäre gut, wenn wir netter wären.

16.

gehe	gehst	geht	gehen	geht	gehen	gehen
würde	würdest	würde	würden	würdet	würden	würden
gehen	gehen	gehen	gehen	gehen	gehen	gehen
bin	bist	ist	sind	seid	sind	sind
wäre	wärst	wäre	wären	wäret	wären	wären
habe	hast	hat	haben	habt	haben	haben
hätte	hättest	hätte	hätten	hättet	hätten	hätten

17. a) wichtig **b)** sauber sein **c)** Firma **d)** Schule **e)** leicht

18. a) Literatur **b)** Kunst **c)** sich ärgern **d)** Mond **e)** Hut **f)** Himmel **g)** Glückwunsch **h)** Kompromiss **i)** raten **j)** singen **k)** Radio

19. Gabriela, 20, ist Straßenpantomimin. Sie zieht von Stadt zu Stadt und spielt auf Plätzen und Straßen. Die Leute mögen ihr Spiel, nur wenige regen sich darüber auf. Gabriela sammelt Geld bei den Leuten. Sie verdient ganz gut, aber sie muss regelmäßig spielen. Früher hat sie mit Helmut zusammen gespielt. Er war auch Straßenkünstler. Ihr hat das freie Leben gefallen. Zuerst hat sie nur für Helmut Geld gesammelt, aber dann hat sie auch selbst getanzt. Nach einem Krach mit Helmut hat sie einen Schnellkurs für Pantomimen gemacht. Sie findet ihr Leben unruhig, aber sie möchte keinen anderen Beruf. *(Andere Lösungen sind möglich.)*

20. a) ist **b)** hat **c)** hätte **d)** wäre **e)** hat **f)** war **g)** war **h)** hatten **i)** wäre **j)** wäre **k)** hat **l)** ist **m)** würde **n)** hätten **o)** hat **p)** hat **q)** wären **r)** würde **s)** wären **t)** hätte **u)** wäre **v)** würde **w)** hätte **x)** hatte

21. a) Bart **b)** Cent **c)** auspacken **d)** Vorstellung **e)** Zuschauer **f)** ausruhen **g)** Finger **h)** Minuten **i)** Krach **j)** weinen **k)** malen **l)** Baum

22. a) möglich **b)** Qualität **c)** Kaufhaus **d)** Spezialität **e)** Eingang/Ausgang **f)** Lautsprecher **g)** öffentlich **h)** regelmäßig **i)** feucht **j)** nützen **k)** kaum **l)** Ordnung

23. a) laut sein **b)** gernhaben **c)** sich beschweren **d)** legen **e)** leihen **f)** verbieten **g)** lachen **h)** sich ausruhen

24. a) dürfte **b)** könnte **c)** müsste **d)** solltest **e)** könnte **f)** könnte · müsste **g)** müsste **h)** dürfte

25.

müsste	müsstest	müsste	müssten	müsstet	müssten	müssten

dürfte	dürftest	dürfte	dürften	dürftet	dürften	dürften
könnte	könntest	könnte	könnten	könntet	könnten	könnten
sollte	solltest	sollte	sollten	solltet	sollten	sollten

Lektion 4

1. a) Leistung b) Kosten c) Alter d) Gewicht e) Länge f) Geschwindigkeit g) Benzinverbrauch

2. a) schnell b) klein c) leise d) lang e) niedrig/tief f) preiswert/billig g) viel h) stark i) schwer

3. neue · stärkerer · höhere · größerer · breiteren · bequemeren · stärkeren · saubereren · neuen · besseren · niedrigere · niedrigere · neue · größere · modernere · bessere

4. höchste, höchste, höchste, höchsten   niedriger, niedrige, niedriges, niedrige
    höchsten, höchste, höchste, höchsten   niedrigen, niedrige, niedriges, niedrige
    höchsten, höchsten, höchsten, höchsten   niedrigen, niedrigen, niedrigen, niedrigen

5. a) als b) wie c) wie d) als e) wie f) als g) als h) wie

6. a) Das neue Auto verbraucht mehr Benzin, als man mir gesagt hat. b) Das neue Auto verbraucht genauso wenig Benzin, wie man mir gesagt hat. c) Die Kosten für einen Renault sind genauso hoch, wie du gesagt hast. d) Der Motor ist viel älter, als der Autoverkäufer uns gesagt hat. e) Der Wagen fährt schneller, als im Prospekt steht. f) Der Wagen fährt so schnell, wie Renault in der Anzeige schreibt. g) Es gibt den Wagen auch mit einem schwächeren Motor, als der Autoverkäufer mir erzählt hat. h) Kleinwagen sind nicht so unbequem, wie ich früher gemeint habe. / … bequemer, als ich früher gemeint habe.

7. a) gehen b) fließen c) fahren d) fahren e) gehen

8. a) Benzin b) Lampe c) Werkzeug d) Spiegel e) Bremsen f) Panne g) Reifen h) Batterie i) Werkstatt j) Unfall

9. a) baden b) schwierig c) zu schwierig d) blond e) nimmt f) gut laufen

10. 1. D 2. G 3. B 4. F 5. B 6. A 7. G 8. E 9. F 10. A 11. D 12. C 13. E 14. C

11. ● Mein Name ist Becker. Ich möchte meinen Wagen bringen.
    ■ Ach ja, Frau Becker. Sie haben gestern angerufen. Was ist denn kaputt?
    ● Die Bremsen ziehen immer nach rechts, und der Motor braucht zu viel Benzin.
    ■ Noch etwas?
    ● Nein, das ist alles. Wann kann ich das Auto abholen?
    ■ Morgen Nachmittag.
    ● Morgen Nachmittag erst? Aber gestern am Telefon haben Sie mir doch gesagt, Sie können es heute noch reparieren.
    ■ Es tut mir leid, Frau Becker, aber wir haben so viel zu tun. Das habe ich gestern nicht gewusst.
    ● Das interessiert mich nicht. Sie haben es versprochen!
    ■ Ja, da haben Sie recht, Frau Becker. Na gut, wir versuchen es, vielleicht geht es ja heute doch noch.

12. verlieren   Öl, Benzin, Brief, Brille, Führerschein, Geld, Haare, Hemd, Pullover
    schneiden   Blech, Kuchen, Haare, Bart, Brot, Gemüse, Wurst, Papier, Fleisch
    waschen   Wagen, Pullover, Haare, Hände, Kind, Auto, Hals, Fleisch, Gemüse, Hemd

13. a) Hier wird ein Auto abgeholt. b) Hier wird ein Motor repariert. c) Hier wird ein Rad gewechselt. d) Hier wird getankt. e) Hier werden die Bremsen geprüft. f) Hier wird geschweißt. g) Hier wird ein Auto gewaschen. h) Hier wird die Werkstatt sauber gemacht. i) Hier wird Öl geprüft. j) Hier wird eine Rechnung bezahlt. k) Hier wird ein Radio montiert. i) Hier wird nicht gearbeitet.

14. ich: werde abgeholt du: wirst abgeholt Sie: werden abgeholt er/sie/es/man: wird abgeholt
    wir: werden abgeholt ihr: werdet abgeholt sie/Sie: werden abgeholt

15. a) Die Kinder werden vom Vater geweckt. b) Die Kinder werden von der Mutter angezogen. c) Das Frühstück wird vom Vater gemacht. d) Die Kinder werden vom Vater zur Schule gebracht. e) Das Geschirr wird vom Geschirrspüler gespült. f) Die Wäsche wird von der Waschmaschine gewaschen. g) Das Kinderzimmer wird von den Kindern aufgeräumt. h) Der Hund wird von den Kindern gebadet.

i) Die Kinder werden vom Vater und von der Mutter ins Bett gebracht. j) Die Wohnung wird vom Vater geputzt. k) Das Essen wird vom Vater gekocht. l) Das Geld wird von der Mutter verdient.

16.

	Vorfeld	Verb₁	Subjekt	Erg.	Angabe	Ergänzung	Verb₂
a)	Die Karosserien	werden			von Robotern		geschweißt.
b)	Roboter	schweißen				die Karosserien.	
c)	Morgens	wird	das Material		mit Zügen		gebracht.
d)	Züge	bringen			morgens	das Material.	
e)	Der Vater	bringt		die Kinder		ins Bett.	
f)	Die Kinder	werden			vom Vater	ins Bett	gebracht.

17. **a)** C **b)** A **c)** C **d)** B **e)** C **f)** C

18. a) A. 1, 6, 8, 11   B. 4, 5, 9, 12   C. 2, 3, 7, 10
b) A. Wenn ich Autoverkäufer wäre, würde ich Provisionen bekommen. Ich könnte Kredite und Versicherungen besorgen. Ich müsste auch Büroarbeit machen, und natürlich würde ich Autos verkaufen.
B. Wenn ich Tankwart wäre, hätte ich oft unregelmäßige Arbeitszeiten. Ich wäre meistens an der Kasse. Ich müsste auch technische Arbeiten machen und würde Benzin, Autozubehörteile und andere Artikel verkaufen.
C. Wenn ich Berufskraftfahrerin wäre, hätte ich keine leichte Arbeit. Ich hätte oft unregelmäßige Arbeitszeiten und wäre oft von der Familie getrennt. Ich müsste immer pünktlich ankommen. *(Andere Lösungen sind möglich.)*

19. a) angerufen · angerufen **b)** repariert · repariert **c)** aufgemacht · aufgemacht **d)** versorgt · versorgt
e) bedient · bedient **f)** verkauft · verkauft **g)** gewechselt · gewechselt **h)** beraten · beraten
i) angemeldet · angemeldet **j)** besorgt · besorgt **k)** gepflegt · gepflegt **l)** montiert · montiert
m) kontrolliert · kontrolliert **n)** vorbereitet · vorbereitet **o)** zurückgegeben · zurückgegeben
p) eingeschaltet · eingeschaltet **q)** bezahlt · bezahlt **r)** gekündigt · gekündigt **s)** geschrieben · geschrieben **t)** geliefert · geliefert

20. a) Fahrlehrer(in), Taxifahrer(in), Berufskraftfahrer(in) **b)** Autoverkäufer(in), Sekretär(in), Buchhalter(in)
c) Mechaniker(in), Tankwart(in), Meister(in) **d)** Facharbeiter(in), Schichtarbeiter(in), Roboter

21. a) mit **b)** in **c)** für **d)** für **e)** mit **f)** Für **g)** vor **h)** für **i)** über **j)** von **k)** bei **l)** auf **m)** Als

22. a) Hobby **b)** Feierabend **c)** Industrie **d)** Arbeitszeit **e)** Haushalt **f)** Kredit

23. Herr Behrens, was sind Sie von Beruf? · Sind Sie selbstständig? · Wie alt sind Sie? · Von wann bis wann arbeiten Sie? · Und wann schlafen Sie? · Ist das nicht schlecht für das Familienleben? · Warum können Sie denn nicht schlafen? · Was ist Ihre Frau von Beruf? · Und Sie haben Kinder, nicht wahr? · Wann arbeitet Ihre Frau? · Was machen Sie nachmittags? · Warum machen Sie überhaupt Schichtarbeit?

24. a) ruhig **b)** zusammen **c)** sauber **d)** selten **e)** wach **f)** leer **g)** mehr **h)** allein **i)** gleich

25. a) Überstunden **b)** Krankenversicherung **c)** Schichtarbeit **d)** Lohn **e)** Gehalt
f) Arbeitslosenversicherung **g)** Haushaltsgeld **h)** Kredit **i)** Rentenversicherung **j)** Steuern

26. a) 5 **b)** 2 **c)** 3 **d)** 6 **e)** 8 **f)** 7 **g)** 1 **h)** 4

Lektion 5

1. Morgen fange ich an, mehr Obst zu essen. … früher schlafen zu gehen. … öfter Sport zu treiben.
… weniger fernzusehen. … weniger Bier zu trinken. … weniger Geld auszugeben. … die Wohnung regelmäßig aufzuräumen. … meine Eltern öfter zu besuchen. … die Rechnungen schneller zu bezahlen.
… mich täglich zu duschen. … immer die Schuhe zu putzen. … öfter zum Zahnarzt zu gehen.
… nicht mehr zu lügen. … früher aufzustehen. … mehr spazieren zu gehen. … immer eine Krawatte anzuziehen. … besser zu arbeiten. … ein Gartenhaus zu bauen. … billiger einzukaufen. … regelmäßig Fahrrad zu fahren. … besser zu frühstücken. … regelmäßig die Blumen zu gießen. … besser zu kochen.
… eine Fremdsprache zu lernen. … öfter Zeitung zu lesen. … Maria öfter Blumen mitzubringen.
… mehr Briefe zu schreiben. … weniger zu telefonieren. *(Andere Lösungen sind möglich.)*

2. *trennbare Verben (rechte Seite):* anzufangen, anzurufen, aufzuhören, aufzupassen, aufzuräumen, aufzustehen, auszupacken, auszuruhen, auszusteigen, auszuziehen, einzukaufen, einzupacken, einzuschlafen, einzusteigen, fernzusehen, nachzudenken, vorbeizukommen, wegzufahren, zuzuhören, zurückzugeben
Alle anderen sind untrennbar (linke Seite).

3. **a)** attraktiv · unattraktiv **b)** treu · untreu **c)** ehrlich · unehrlich **d)** sauber · schmutzig **e)** interessant · langweilig **f)** höflich · unhöflich **g)** ruhig (leise) · laut **h)** sportlich · unsportlich **i)** sympathisch · unsympathisch **j)** freundlich · unfreundlich **k)** hübsch (schön) · hässlich **l)** fröhlich · traurig **m)** pünktlich · unpünktlich **n)** intelligent · dumm **o)** ruhig · nervös **p)** normal · verrückt **q)** zufrieden · unzufrieden

4. **a)** dicke **b)** neue **c)** neugierigen **d)** jüngstes **e)** verrückten **f)** klugen **g)** lustigen **h)** hübschen **i)** neuen **j)** neue · alte **k)** älteste **l)** sympathischen **m)** roten **n)** langen **o)** kurzen **p)** sportlichen

5. *Berufe:* Pilot, Verkäufer, Zahnärztin, Musikerin, Kaufmann, Kellnerin, Künstler, Lehrerin, Ministerin, Politiker, Polizist, Schauspielerin, Schriftsteller, Soldat, Fotografin, Friseurin, Journalistin, Bäcker
Familie / Menschen ...: Nachbar, Tante, Schwester, Bruder, Ehemann, Eltern, Kollege, Tochter, Bekannte, Sohn, Ehefrau, Kind, Freund, Vater, Mutter

6. **a)** Leider hatte ich keine Zeit, Dich anzurufen. **b)** Nie hilfst du mir, die Wohnung aufzuräumen. **c)** Hast du nicht gelernt, pünktlich zu sein? **d)** Hast du vergessen, Gaby einzuladen? **e)** Morgen fange ich an, Französisch zu lernen. **f)** Jochen hatte letzte Woche keine Lust, (mit mir) ins Kino zu gehen. **g)** Meine Kollegin hatte gestern keine Zeit, mir zu helfen. **h)** Mein Bruder hat versucht, mein Auto zu reparieren. (Aber es hat nicht geklappt.) **i)** Der Tankwart hat vergessen, den Wagen zu waschen.

7. **a)** nie **b)** fast nie **c)** sehr selten **d)** selten / nicht oft **e)** manchmal **f)** oft/häufig **g)** sehr oft **h)** meistens **i)** fast immer **j)** immer

8. **A. a)** Ich habe Zeit, mein Buch zu lesen. **b)** Ich versuche, mein Fahrrad selbst zu reparieren. **c)** Es macht mir Spaß, mit kleinen Kindern zu spielen. **d)** Ich helfe dir, deinen Koffer zu tragen. **e)** Ich habe vor, im August nach Spanien zu fahren. **f)** Ich habe die Erlaubnis, heute eine Stunde früher Feierabend zu machen. **g)** Ich habe Probleme, abends einzuschlafen **h)** Ich habe Angst, nachts durch den Park zu gehen. **i)** Ich höre (ab morgen) auf, Zigaretten zu rauchen. **j)** Ich verbiete dir, in die Stadt zu gehen. **k)** Ich habe (gestern) vergessen, dir den Brief zu bringen. **l)** Ich habe nie gelernt, Auto zu fahren. **m)** Ich habe Lust, spazieren zu gehen.

B. a) Es ist wichtig, das Auto zu reparieren. **b)** Es ist langweilig, allein zu sein. **c)** Es ist gefährlich, im Meer zu baden. **d)** Es ist interessant, andere Leute zu treffen. **e)** Es ist lustig, mit Kindern zu spielen. **f)** Es ist falsch, zu viel Fisch zu essen. **g)** Es ist richtig, regelmäßig Sport zu treiben. **h)** Es ist furchtbar, einen Freund zu verlieren. **i)** Es ist unmöglich, alles zu wissen. **j)** Es ist leicht, neue Freunde zu finden. **k)** Es ist schwer, wirklich gute Freunde zu finden. ... *(Andere Lösungen sind möglich.)*

9. **a)** duschen **b)** hängt **c)** ausmachen **d)** Mach · an **e)** wecken **f)** Ruf · an **g)** entschuldigen · vergessen **h)** telefoniert **i)** reden **j)** erzählt

10. **a)** anrufen **b)** entschuldigen **c)** telefonieren **d)** ausmachen **e)** kritisieren **f)** unterhalten **g)** reden

11. **a)** den Fernseher, das Licht, das Radio **b)** Frau Keller, Ludwig, meinen Chef **c)** mit meinem Kind, mit dem Ehepaar Klausen, mit seiner Schwester **d)** die Küche, das Haus, das Büro **e)** auf eine bessere Zukunft, auf ein besseres Leben, auf besseres Wetter

12. **a)** Meine Freundin glaubt, dass alle Männer schlecht sind. **b)** Ich habe gehört, dass Inge einen neuen Freund hat. **c)** Peter hofft, dass seine Freundin ihn bald heiraten will. **d)** Wir wissen, dass Peters Eltern oft Streit haben. **e)** Helga hat erzählt, dass sie eine neue Wohnung gefunden hat. **f)** Ich bin überzeugt, dass es besser ist, wenn man jung heiratet. **g)** Frank hat gesagt, dass er heute Abend eine Kollegin besuchen will. **h)** Ich meine, dass man viel mit seinen Kindern spielen soll. **i)** Ich habe mich gefreut, dass du mich zu deinem Geburtstag eingeladen hast.

13. **a)** B **b)** A **c)** C **d)** B **e)** C **f)** A

14. (Kein Schlüssel.)

15. a) Ich bin auch / Ich bin nicht überzeugt, dass Geld nicht glücklich macht. **b)** Ich glaube auch / Ich glaube nicht, dass es sehr viele schlechte Ehen gibt. **c)** Ich finde auch / Ich finde nicht, dass man ohne Kinder freier ist. **d)** Ich bin auch / Ich bin nicht der Meinung, dass die meisten Männer nicht gern heiraten. **e)** Es stimmt / Es stimmt nicht, dass die Liebe das Wichtigste im Leben ist. **f)** Es ist wahr / Es ist falsch, dass reiche Männer immer interessant sind. **g)** Ich meine auch / Ich meine nicht, dass schöne Frauen meistens dumm sind. **h)** Ich denke auch / Ich denke nicht, dass Frauen harte Männer mögen. **i)** Ich bin dafür / Ich bin dagegen, dass man heiraten muss, wenn man Kinder will.

16. Starke und unregelmäßige Verben

anfangen	angefangen	heißen	geheißen	singen	gesungen
beginnen	begonnen	kennen	gekannt	sitzen	gesessen
bekommen	bekommen	kommen	gekommen	sprechen	gesprochen
bringen	gebracht	laufen	gelaufen	stehen	gestanden
denken	gedacht	lesen	gelesen	tragen	getragen
einladen	eingeladen	liegen	gelegen	treffen	getroffen
essen	gegessen	nehmen	genommen	tun	getan
fahren	gefahren	rufen	gerufen	vergessen	vergessen
finden	gefunden	schlafen	geschlafen	verlieren	verloren
fliegen	geflogen	schneiden	geschnitten	waschen	gewaschen
geben	gegeben	schreiben	geschrieben	wissen	gewusst
gehen	gegangen	schwimmen	geschwommen		
halten	gehalten	sehen	gesehen		

Schwache Verben

abholen	abgeholt	einkaufen	eingekauft	lieben	geliebt
abstellen	abgestellt	erzählen	erzählt	machen	gemacht
antworten	geantwortet	feiern	gefeiert	parken	geparkt
arbeiten	gearbeitet	glauben	geglaubt	putzen	geputzt
aufhören	aufgehört	heiraten	geheiratet	rechnen	gerechnet
baden	gebadet	holen	geholt	reisen	gereist
bauen	gebaut	hören	gehört	sagen	gesagt
besichtigen	besichtigt	kaufen	gekauft	schenken	geschenkt
bestellen	bestellt	kochen	gekocht	spielen	gespielt
besuchen	besucht	lachen	gelacht	suchen	gesucht
bezahlen	bezahlt	leben	gelebt	tanzen	getanzt
brauchen	gebraucht	lernen	gelernt	zeigen	gezeigt

17. a) Im **b)** Nach dem **c)** vor dem **d)** Nach der **e)** Am **f)** Im **g)** Bei den / Während der **h)** vor der **i)** Am **j)** In den **k)** Am **l)** Während der **m)** Beim

18.

vor dem Besuch	vor der Arbeit	vor dem Abendessen	vor den Sportsendungen
nach dem Besuch	nach der Arbeit	nach dem Abendessen	nach den Sportsendungen
bei dem (beim) Besuch	bei der Arbeit	bei dem (beim) Abendessen	bei den Sportsendungen
während dem Besuch	während der Arbeit	während dem Abendessen	während den Sportsendungen
während des Besuchs	während der Arbeit	während des Abendessens	während der Sportsendungen
am Abend		am Wochenende	an den Sonntagen
im letzten Sommer	in der letzten Woche	im letzten Jahr	in den letzten Jahren

19. a) Marias Jugendzeit war sehr hart. Eigentlich hatte sie nie richtige Eltern. Als sie zwei Jahre alt war, ist ihr Vater gestorben. Ihre Mutter hat ihren Mann nie vergessen und hat mehr an ihn als an ihre Tochter gedacht. Maria war deshalb sehr oft allein, aber das konnte sie mit zwei Jahren natürlich noch nicht verstehen. Ihre Mutter ist gestorben, als sie vierzehn Jahre alt war. Maria hat dann bei ihrem Großvater gelebt. Mit 17 Jahren hat sie geheiratet, das war damals normal. Ihr erstes Kind, Adele, hat sie bekommen, als sie 19 war. Mit 30 hatte sie schließlich sechs Kinder.

b) Adele hat als Kind in einem gutbürgerlichen Elternhaus gelebt. Wirtschaftliche Sorgen hat die Familie nicht gekannt. Nicht die Eltern, sondern ein Kindermädchen hat die Kinder erzogen. Sie hatte auch einen Privatlehrer. Mit ihren Eltern konnte sich Adele nie richtig unterhalten, sie waren ihr immer etwas fremd. Was sie gesagt haben, mussten die Kinder unbedingt tun. Wenn z. B. die Mutter nachmittags geschlafen hat, durften die Kinder nicht laut sein und spielen. Manchmal hat es auch Ohrfeigen gegeben. Als sie 15 Jahre alt war, ist Adele in eine Mädchenschule gekommen. Dort ist sie bis zur Mittleren Reife geblieben. Dann hat sie Kinderschwester gelernt. Aber eigentlich hat sie es nicht so wichtig gefunden, einen Beruf zu lernen, denn sie wollte auf jeden Fall lieber heiraten und eine Familie haben. Auf Kinder hat sie sich besonders gefreut. Die wollte sie dann aber freier erziehen, als sie selbst erzogen worden war, denn an ihre eigene Kindheit hat sie schon damals nicht so gern zurückgedacht.

c) Ingeborg hatte ein wärmeres und freundlicheres Elternhaus als ihre Mutter Adele. Auch in den Kriegsjahren hat sich Ingeborg bei ihren Eltern sehr sicher gefühlt. Aber trotzdem, auch für sie war das Wort der Eltern Gesetz. Wenn z. B. Besuch im Haus war, dann mussten die Kinder gewöhnlich in ihrem Zimmer bleiben und ganz ruhig sein. Am Tisch durften sie nur dann sprechen, wenn man sie gefragt hat. Die Eltern haben Ingeborg immer den Weg gezeigt. Selbst hat sie nie Wünsche gehabt. Auch in ihrer Ehe war das so. Heute kritisiert sie das.

d) Ulrike wollte schon früh anders leben als ihre Eltern. Für sie war es nicht mehr normal, immer nur das zu tun, was die Eltern gesagt haben. Noch während der Schulzeit ist sie deshalb zu Hause ausgezogen. Ihre Eltern konnten das am Anfang nur schwer verstehen. Mit 21 Jahren hat sie ein Kind bekommen. Das haben alle viel zu früh gefunden. Den Mann wollte sie nicht heiraten. Trotzdem ist sie mit dem Kind nicht allein geblieben. Ihre Mutter, aber auch ihre Großmutter haben ihr geholfen. *(Andere Lösungen sind möglich.)*

20. a) hieß **b)** nannte **c)** besuchte **d)** erzählte **e)** heiratete **f)** war **g)** ging **h)** sah **i)** wohnte **j)** schlief **k)** gab **l)** wollte **m)** liebte **n)** fand **o)** half **p)** arbeitete **q)** verdiente **r)** hatte **s)** trug **t)** las

21. a) Als meine Eltern in Paris geheiratet haben, waren sie noch sehr jung. **b)** Als ich sieben Jahre alt war, hat mir mein Vater einen Hund geschenkt. **c)** Als meine Schwester vor fünf Jahren ein Kind bekam, war sie 30 Jahre alt. **d)** Als Sandra die Erwachsenen störte, durfte sie trotzdem im Zimmer bleiben. **e)** Als er noch ein Kind war, hatten seine Eltern oft Streit. **f)** Als meine Großeltern noch lebten, war es zu Hause nicht so langweilig. **g)** Als wir im Sommer in Spanien waren, war das Wetter sehr schön.

22. Als er ein Jahr alt war, hat er laufen gelernt.
Als er drei Jahre alt war, hat er immer nur Unsinn gemacht.
Als er vier Jahre alt war, hat er sich ein Fahrrad gewünscht.
Als er fünf Jahre alt war, hat er schwimmen gelernt.
Als er sieben Jahre alt war, ist er vom Fahrrad gefallen.
Als er acht Jahre alt war, hat er sich nicht gerne gewaschen.
Als er zehn Jahre alt war, hat er viel gelesen.
Als er vierzehn Jahre alt war, hat er jeden Tag drei Stunden telefoniert.
Als er fünfzehn Jahre alt war, hat er Briefmarken gesammelt.
Als er achtzehn Jahre alt war, hat er sich sehr für Politik interessiert.
Als er vierundzwanzig Jahre alt war, hat er geheiratet.

23. a) Wenn **b)** Als **c)** Wenn **d)** Als **e)** Als **f)** wenn **g)** Als **h)** Wenn **i)** Wenn **j)** Als

24. a) über die **b)** über die **c)** mit meinem **d)** mit meinen **e)** für das **f)** um die **g)** auf **h)** an ihren · an ihre

25. a) verschieden **b)** Sorgen **c)** Wunsch **d)** deutlich **e)** Damals **f)** aufpassen **g)** anziehen · ausziehen **h)** Besuch · allein **i)** früh · schließlich · hart **j)** unbedingt

26. a) Das neue Auto meines ältesten Bruders ist schon kaputt. **b)** Die Mutter meines zweiten Mannes ist sehr nett. **c)** Die Schwester meiner neuen Freundin hat geheiratet. **d)** Der Freund meines jüngsten Kindes ist leider sehr laut. **e)** Die beiden / Die zwei Kinder meiner neuen Freunde gehen schon zur Schule. **f)** Der Verkauf des alten Wagens war sehr schwierig. **g)** Die Mutter des kleinen Kindes ist vor zwei Jahren gestorben. **h)** Der Chef der neuen Autowerkstatt in der Hauptstraße ist mein Freund. **i)** Die Reparatur der schwarzen Schuhe hat sehr lange gedauert.

die Mutter meines zweiten Mannes
die Schwester meiner neuen Freundin
der Freund meines jüngsten Kindes
die Kinder meiner neuen Freunde

der Verkauf des alten Wagens
die Mutter des kleinen Kindes
der Chef der neuen Werkstatt
die Reparatur der schwarzen Schuhe

27. a) sich langweilen **b)** Besuch **c)** schlagen **d)** Gesetz **e)** leben **f)** fühlen **g)** schwimmen

28. a) Vater **b)** Sohn **c)** Tochter **d)** Eltern **e)** Urenkelin **f)** Großmutter **g)** Nichte **h)** Neffe **i)** Enkelin **j)** Onkel **k)** Großvater **l)** Mutter **m)** Urgroßmutter **n)** Urgroßvater **o)** Enkel